WORKBOOK

Matilde Olivella de Castells, Elizabeth Guzmán, Paloma Lapuerta

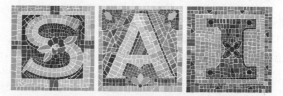

MOSAICOS

SPANISH AS A WORLD LANGUAGE

Third Edition

Matilde Olivella de Castells
Emeritus, California State University, Los Angeles

Elizabeth Guzmán
College of St. Benedict, St. Johns University

Paloma Lapuerta
Central Connecticut State University

Carmen García
Arizona State University

Prentice Hall

Upper Saddle River, NJ 07458

© 2002, 1998, 1994 by Pearson Education, Inc.

Upper Saddle River, NJ 07458

Printed in the United States of America

10 9 8 7 6 5 4 3

ISBN 0-13-031672-5

Pearson Education LTD., London
Pearson Education Australia PTY, Limited, Sydney
Pearson Education Singapore, Pte. Ltd
Pearson Education North Asia Ltd, Hong Kong
Pearson Education Canada, Ltd., Toronto
Pearson Educación de Mexico, S.A. de C.V.
Pearson Education — Japan, Tokyo
Pearson Education Malaysia, Pte. Ltd
Pearson Education, Upper Saddle River, New Jersey

Contents

To the instructor

This *Workbook* accompanies *Mosaicos: Spanish as a World Language, Third Edition*. The wide variety of activities in the *Workbook* have been designed to help students develop their reading and writing skills while practicing the vocabulary and grammatical structures presented in each *lección*.

The structure of the *Workbook* parallels that of the text, with sections corresponding to *A primera vista*, *Explicación y expansión*, *Mosaicos,* and *Enfoque cultural*. Students first review the vocabulary presented in the *A primera vista* section through activities such as matching, identifications, definitions, word puzzles, and completions. These activities reinforce the vocabulary presented in class and boost students' confidence to use the new lexicon in various meaningful contexts.

The *Explicación y expansión* section presents contextualized activities in a wide variety of formats to provide a meaningful and natural framework for students to practice the functions and structures introduced in each *lección*. Activities include multiple choice, fill-ins and completions, answering questions, extracting information needed to complete an activity, etc. The *Explicación y expansión* section begins with a *Síntesis gramatical,* which provides a summary of the structures presented in each *lección*.

The *Mosaicos* section provides significant practice in reading and writing, and complements the strategies that are presented in the text. Pre- and post-reading activities will help students develop their ability to read a variety of high-interest, authentic Spanish texts. To improve the students' writing skills, there are pre- and post-writing activities that guide them through the writing process. For the first six lessons, there are activities to practice accentuation, which correlate with the *Stress and the Written Accent* sections in the Lab Manual and the *Acentos* boxes in the text.

Each lesson ends with a new section to assess comprehension of the *Enfoque cultural* through a variety of activities that range from multiple choice and true and false to completions and answering questions.

An *Answer Key* for the *Workbook* is available separately for instructors and students.

To the student

This *Workbook* is designed to accompany *Mosaicos: Spanish as a World Language, Third Edition.* The *Workbook* activities will help you further develop your reading and writing skills while practicing the vocabulary and grammatical structures presented in your text.

Each lesson in the *Workbook* correlates with the same four sections in each lesson in your text: *A primera vista, Explicación y expansión, Mosaicos,* and *Enfoque cultural.* In the *A primera vista* section, you review the vocabulary through matching, identification, definitions, word puzzles, completions, and other activities. These activities reinforce the vocabulary presented in class, so that you will feel more confident in using these words in real-life situations.

The *Explicación y expansión* section presents a wide variety of contextualized activities and provides a natural setting for you to practice the new grammar structures introduced in the lesson. Activities include multiple-choice, fill-ins and completions, answering questions, extracting information needed to complete an activity, and so forth. This section begins with a grammar summary that reviews the grammatical structures presented in the lesson. You can refer to the summary as you work on activities if you need to review a grammar topic.

The *Mosaicos* section draws on the vocabulary and grammar presented in the lesson in a series of fun activities that help you develop your reading and writing skills. Interesting, authentic Spanish texts are presented with activities designed to help you understand the text and improve your reading skills. The first activity sets the stage for the reading selection and introduces you to the vocabulary and topic treated in the reading. This pre-reading activity prepares you to face the reading with confidence. The reading selection is accompanied by comprehension activities that help you identify and understand the key points of the reading. The post-reading activities provide you with an opportunity to assess your comprehension of the reading and to increase your vocabulary using some analytical skills. Likewise, a series of writing activities are presented in each lesson to guide you through the writing process. Before you begin the writing assignment, a pre-writing activity helps you organize your thoughts and focuses you on the writing topic. The post-writing activities have been designed to make you aware that the text you have created —or are creating— needs revision, something you may do at various times during the writing process. This series of writing activities develops your skills as a writer and helps you communicate proficiently in Spanish.

For the first six lessons, the *A escribir* section begins with activities to practice accentuation, which correlate with the *Stress and the Written Accent* section in the Lab Manual and the *Acentos* boxes in the text, and set the stage for the writing task.

Each lesson ends with a new section on the *Enfoque cultural*. This section gives you the opportunity to review the cultural material presented in the text while assessing your comprehension of that material through a variety of activities that range from multiple-choice and true and false to completions and questions.

Lección preliminar

Nombre: _Adrianne Roback_

Bienvenidos

Fecha: _____

Las presentaciones

B-1 **Presentaciones.** How would you reply to the following statements or questions? Circle the appropriate response in each case.

1. Me llamo María Sánchez. ¿Y tú?
   a) ¿Cómo se llama usted?
   b) Mucho gusto.
   c) ⟨Me llamo Adela Pérez.⟩

2. Mucho gusto. ← pleased to meet you
   a) ⟨¿Cómo te llamas?⟩
   b) Igualmente.
   c) Eduardo López.

3. ¿Cómo se llama usted? (what's your name)
   a) Marina Camacho.
   b) ⟨Encantado.⟩
   c) Mucho gusto.

4. Encantada. (nice to meet you)
   a) Me llamo Antonio Lazo.
   b) ¿Cómo te llamas?
   c) ⟨Igualmente.⟩ (me too)

B-2 **Más presentaciones.** In everyday life, people may use the following expressions when meeting or introducing other people. Write what you would respond.

1. —Encantado. _igualmente_

2. —María, mi amigo Carlos. _mucho gusto_

3. —¿Cómo se llama usted? _Me llamo Adrianne_

4. —Mucho gusto. _encanta/a_

5. —¿Cómo te llamas? _me llamo Adrianne_

Saludos, despedidas, expresiones de cortesía

B-3 **Saludos.** You see people at different times. Write what you would say to greet them, depending on the time.

MODELO: 11:00 a.m. *Buenos días.*

1. 9:00 a.m. _buneos días_

2. 3:00 p.m. _buneos tardes_

3. 10:30 a.m. _buneos dias_

4. 12:10 p.m. _buneos ~~nonanos~~ tardes_

5. 10:00 p.m. _buneos noches_

6. 7:00 p.m. (there's still day light) _buneos tardes_

B-4 **¿Cómo está(s)?** Circle the best completion to each question.

1. Buenos días, señor Martínez. ¿Cómo...
   a) está usted?
   b) estás?

2. ¡Hola, Elena! ¿Cómo. . .
   a) está usted?
   b) estás?

3. Buenas noches, señora Peña. ¿Cómo. . .
   a) está usted?
   b) está?

4. ¿Qué tal Alberto? ¿Cómo. . .
   a) está usted?
   b) estás?

B-5   **¿Qué tal?** You are meeting a close friend. Combine the scrambled phrases below, writing expressions (A) and their corresponding responses (B) in the chart to show the conversation that takes place. (There are more items than you will need.)

¡Hola! ¿Cómo estás?	Muy mal, muy mal.	Gracias.
Lo siento.	Muy bien, ¿y tú?	Buenos días.
Hasta mañana.	Regular.	Adiós.
¡Hola! ¿Qué tal?	Hasta luego.	¡Hola!

A		B	
¡Hola!		¡Hola! ¿cómo estás?	
Muy bien, ¿y tú?		Muy mal, mui mal.	
Lo siento		gracias	
Hasta mañana.		Adiós	

B-6   **Situaciones.** What Spanish expression would you use in the following situations? Write the letter of the appropriate expression next to each situation.

a. Perdón   sorry /   ~~excuse~~ excuse me   b. De nada   your welcome   c. Por favor   please

___a___ 1. You spilled a cup of coffee on your friend.

___c___ 2. You want your friend to lend you her class notes.

___c___ 3. You want your father to lend you money.

___b___ 4. Your mother thanks you for helping her.

___a___ 5. You greeted a stranger thinking he was someone you knew.

B-7 **Más situaciones.** Write the Spanish expressions you would use in the following contexts.

1. Someone opens the door for you. ~~gracias~~ gracias

2. Your classmate thanks you for helping her with the homework. de nada

3. You want to get someone's attention. perdón

4. Your friend received a D on an exam. lo siento

5. You sneezed while talking to your professor. padón

6. You ask a friend for a loan. por favor

Identificación y descripción de personas

B-8 **Cognados.** Write the opposite of each cognate.

1. optimista pesimista

2. parcial imparical

3. liberal conservadoria

4. extrovertido/a introverto/a

5. pasivo/a activo/a

6. cómico/a serio/a

B-9 **No, no.** You have a very opinionated friend who volunteers his opinions about you and the friends you both have in common. Disagree with him.

MODELO: — Tú eres materialista.
   — No, yo no soy materialista. Soy idealista.

1. Tú eres impaciente. No, yo no soy impaciente, soy paciente

2. Juan es activo. No, el no es ~~soy~~ activo. Es posivo

3. Julio es incompetente. No, el no es incompetente. Es competente

4. Tú eres pesimista. No, yo no soy pesimista, soy optimista

5. Rebeca es tímida. No, ella no es tímida, ella extrovada

B-10 Descripciones. Write a description of each person using as many of the following cognates as possible. Use the correct form of the verb **ser**.

materialista	extrovertido	inteligente	eficiente	generoso	serio
sentimental	activo	liberal	optimista	competente	impaciente
pesimista	religioso	romántico	moderno	idealista	tranquilo

1. Mi mejor (*best*) amigo/a _es inteligente y serio_ .

2. Yo _soy activa y generosa_ .

3. El Presidente de los Estados Unidos (*USA*) _es liberal y idealiste_ .

4. Mi actor favorito/actriz favorita _es materialista y pesimista_ .

5. Mi profesor/a _es religioso y sentimental_ .

6. Mi compañero/a de cuarto (*roommate*) _es idealista y romántica_ .

B-11 ¡A escribir! After giving their names, write a brief description of two of your friends (one male and one female). What are they like? What are they not like? Describe them in as much detail as you can.

Mi amigo se llama _Shawn. Shawn es impaciente y_ _extrovertido. Shawn no es activo y no es_ _serio. El es muy inteligente y muy sentimental._ _Yo mucho a mi gustan Shawn._

Mi amiga se llama _Katie O. Katie O es muy generosa_ _y muy inteligente. Ella es optimista y impaciente._ _Stays mas_   _Stays mas_ _Katie O es no materialista y religiosa. Yo_ _mucho gustan Katie O._ _a mi_

¿Qué hay en el salón de clase?

B-12   Personas y cosas. Indicate which two classroom objects you associate with each person, place or thing.

borrador   cuaderno   mesa   libro   escritorio   tiza
pupitre   bolígrafo   mochila   grabadora   computadora   cesto

1. El profesor: _B_____
2. El/La estudiante: _____
3. El salón de clase: _____
4. La pizarra: _____
5. El escritorio: _____

¿Dónde está?

B-13   El director. You are directing a play and you want the actors to be in certain places on the stage. You have made a drawing to guide them. Write down the location of each actor or actress as shown on the drawing.

MODELO: Amanda
           Amanda está enfrente de la puerta.

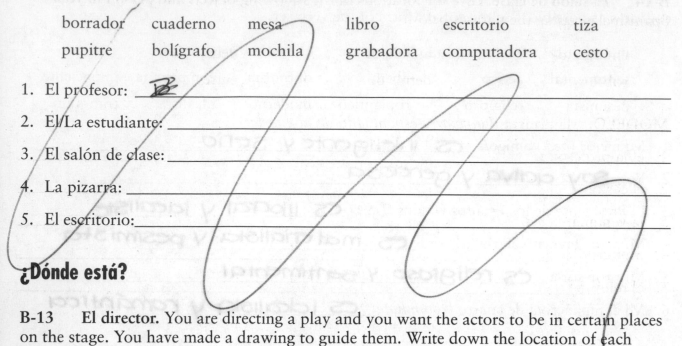

* Remember
al lado • next to
debajo • under (de)
detras (de) • behind
enfrente (de) • infront of
entre • between, among
sobre • on above

1. Alberto _Alberto 7está detras de Felipe_
2. Luis _está enfrente de Mónica y Bebe_
3. El bebé _está al lado del ~~bebe~~ Mónica_
4. Mónica _está al lado de Bebé_
5. Inés _está detras de Felipe_
6. Felipe _esta enfrente de Inés_

Nombre: _____ Fecha: _____

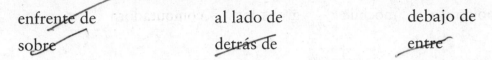

B-14   El salón de clase. Give the locations of the following objects and person in your Spanish class using the phrases below.

enfrente de   al lado de   debajo de

sobre   detrás de   entre

MODELO: la pizarra: *La pizarra está al lado de la puerta*

1. el/la profesor/a: La profesor está entre los estiauatc

2. el cesto: El cesto esta enfrente de los estidcudiore
   garbage con

3. la ventana: La ventana esta debajo de techo.
   backpack window

4. mi mochila: Mi mochila esta deirás de mi
   netas backpack

5. el reloj: El reloj al lado de la puerta
   garbago
   clock

Los números 0-99

B-15   En la librería. The bookstore manager is ordering supplies for the semester. Complete the list by writing out the numbers in parentheses.

1. (65) bolígrafos sesenta y cinco

2. (90) cuadernos noventa

3. (54) casetes cincuenta y cuatro

4. (12) diccionarios doce

5. (25) calculadoras veinte y cinco

B-16   Obras y cortes. This city map shows the streets and plazas of Madrid undergoing repairs (**obras**) and the ones closed to traffic (**cortes**). Give the information requested. Spell out the numbers.

1. Número de obras:_____

2. Número de cortes:_____

3. ¿Dónde está la obra uno? _____

4. ¿Dónde está la obra diez? _____

5. ¿Dónde está el corte trece?_____

B-17   Preguntas personales. Answer the following questions.

1. ¿Cuál es tu dirección?_____

2. ¿Cuál es tu número de teléfono?_____

3. ¿Cuál es la dirección de tus abuelos (*grandparents*)? _____

4. ¿Cuál es el número de teléfono de tus abuelos? _____

5. ¿Cuál es la dirección de tu mejor (*best*) amigo/a?_____

6. ¿Cuál es el número de teléfono de tu mejor amigo/a? _____

Los días de la semana y los meses del año

B-18   Días de la semana. Match each statement on the left with the appropriate day of the week.

1. The first day of the weekend.

2. The first day of the week on calendars in most Hispanic countries.

3. The last day of the week on calendars in most Hispanic countries.

4. Thanksgiving is celebrated on this day.

5. When the 13th falls on this day, some Americans consider it bad luck.

_②_ lunes

_③_ domingo

_④_ jueves

_⑤_ viernes

_①_ sábado

B-19   Preguntas. Answer these questions.

1. ¿Qué día es hoy? _Hoy mercioles_

2. ¿Qué día es mañana? _Mañana es jueves_

3. ¿Qué días hay clase en la universidad? _Hay clase los lunes, jueves, vien_

4. ¿Cuál es la fecha de hoy? _Hoy es el dos de fevero_

5. ¿Cuántos días hay en abril? _Hay trienta dia en abril_

B-20   Los meses. In which month do these holidays take place? Match each holiday with a month.

1. el Día del Trabajo (*Labor Day*)

2. el Día de Año Nuevo (*New Year's Day*)

3. el Día de San Patricio

4. el Día de Acción de Gracias (*Thanksgiving*)

5. el Día de la Raza (*Columbus Day*)

6. el Día de la Independencia

7. el Día de Navidad (*Christmas*)

8. el Día de los Presidentes

_____ julio

_____ septiembre

_⑦_ diciembre

_____ febrero

_②_ enero

_____ noviembre

_④_ octubre

_③_ marzo

B-21   Fecha de exámenes y de tareas. There is a new student in your class, and she is asking you for the dates to turn in her class work, as well as the dates of the exams. Write out the dates as in the model.

MODELO: 22/3 - El examen de literatura *es el 22 de marzo.*

1. 26/1 -   La composición en clase _es le 26 de enro_
2. 13/2 -   El examen de vocabulario _es le 13 de ferrero_
3. 7/4 -   El examen oral _es el 7 de abril_
4. 10/5 -   La presentación sobre España _es el 10 de mayo_
5. 14/6 -   El examen final _es el 14 de junio_

La hora

B-22   ¿Qué hora es? Your coworker is constantly telling everyone the time. Draw in the hands on the clocks' faces corresponding to each of the times he tells.

MODELO: *Son las once y media.*

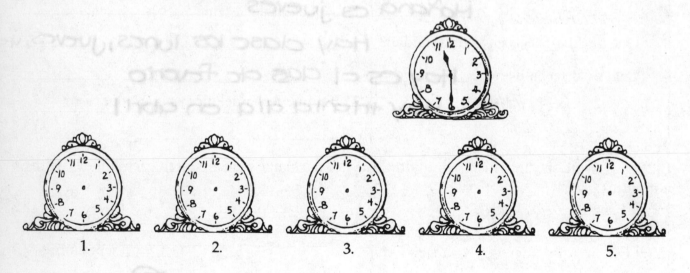

1. **2.** **3.** **4.** **5.**

1. Son las nueve y media.   9:30
2. Son las ocho menos cuarto.   7:45
3. Es la una y diez.   1:10
4. Son las cuatro menos cinco.   3:55
5. Son las doce en punto.   12:00

B-23 La hora. Write out the indicated times in Spanish.

MODELO: 2:20 p.m. *Son las dos y veinte de la tarde.*

1. 8:30 a.m. San las ocho y media

2. 3:40 p.m. son los quatro menos viente de la tarde

3. 6:35 a.m. son los siete menos viinticinco de la mañana

4. 7:30 p.m. son los siete y media

5. 1:15 p.m. es la una y cuarto

6. 10:45 p.m. son las once menos cuarto

B-24 Una graduación. You have received this invitation to attend your friend Irene's graduation from medical school. Answer the following questions with information from the invitation.

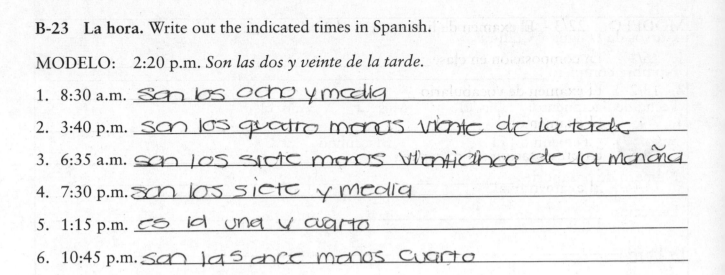

El Presidente y Decano
La Facultad
y la
Clase Graduada
de la
Escuela de Medicina de Ponce
Tienen el placer de
Invitarle a la
Ceremonia de Graduación
que se celebrará el
sábado, 26 de mayo de 2001
a las 10:00 A.M.
en el
Teatro La Perla de Ponce

1. ¿Qué día de la semana es la graduación?

   El sábado

2. ¿En qué fecha del mes es la graduación?

   el 26 de mayo de 2001

3. ¿A qué hora es la ceremonia de la graduación?

   a las diez de la mañana

4. ¿Dónde es la graduación?

   el teatro la perla de ponce

5. ¿Dónde está el Teatro La Perla?

   en ponce

B-25 Matrícula. You are a foreign student planning to take some classes at the **Universidad de Valencia** in Spain. Fill out the following application form for enrollment in classes.

Cursos de Lengua y Cultura

Nombre completo _____

Fecha de nacimiento: Día ❑   Mes ❑   Año ❑

Sexo: Femenino ❑   Masculino ❑

Número de pasaporte _____

Dirección _____

Ciudad _____

Teléfono _____

Correo electrónico: _____

Marque el/los curso(s) en el/los que se matricula.

Cultura hispana   ❑

Español comercial   ❑

Práctica comunicativa   ❑

Historia de España   ❑

Historia de Latinoamérica   ❑

Historia del arte español   ❑

Fecha: _____   Firma: _____

Lección 1

Los estudiantes y la universidad

A PRIMERA VISTA

1-1   Los estudios de María, Jorge, Felipe y Dora. Circle the courses the following students are probably taking according to their major.

1. María Gutiérrez is majoring in business administration.

    filosofía   química   álgebra   psicología   cálculo

    economía   geografía   historia   trigonometría   literatura

2. Jorge Mena is majoring in social studies.

    álgebra   historia   economía   biología

    sociología   psicología   geometría   física

3. Felipe González is studying pre-medicine.

    sociología   informática   física

    biología   química   contabilidad

4. Dora Linares is getting a degree in the humanities.

    español   literatura   contabilidad

    cálculo   historia   trigonometría

5. Now, write down in Spanish the courses you are taking this semester.

    _____   _____   _____

    _____   _____   _____

1-2 ¿Cómo son las clases? Describe the following courses using one of these adjectives: interesante, fácil, difícil, excelente, popular, aburrido/a.

MODELO: química   *La clase de química es difícil.*

1. biología _____

2. literatura_____

3. informática_____

4. cálculo _____

5. español _____

6. historia _____

1-3   En la universidad necesitamos... Indicate which item best completes each statement by circling the corresponding letter.

1. Hay una grabadora en mi clase de...
   a) matemáticas
   b) español
   c) economía

2. Compro un libro en la...
   a) biblioteca
   b) clase
   c) librería

3. Juan estudia... en la clase de geografía.
   a) los mapas
   b) los diccionarios
   c) las calculadoras

4. David y Ana escuchan los casetes en..
   a) el laboratorio
   b) el gimnasio
   c) la cafetería

5. En la clase de informática tengo...
   a) una grabadora
   b) una computadora
   c) una mochila

6. Compro una calculadora para mi clase de...
   a) antropología
   b) inglés
   c) álgebra

1-4　Actividades. Where would these activities take place? Match the activity with the most appropriate place. There could be more than one activity per place.

1. ___b___　conversar con amigos　　　　　a.　el laboratorio de lenguas

2. ___a___　escuchar los casetes　　　　　b.　la cafetería

3. ___d___　comprar cuadernos　　　　　c.　la oficina

4. ___b___　tomar café　　　　　　　　　d.　la librería

5. ___c___　trabajar

6. ___a___　practicar español

7. ___c___　llamar a los clientes

8. ___d___　comprar libros para estudiar

1-5　El primer día de clase. Today is Pedro's first day of school. Fill in the blanks with the appropriate words in the list.

~~español~~　　　　~~universidad~~

~~comprar~~　　　　cuaderno

~~dinámico~~　　　　matemáticas

conversan

Hoy es el primer día de clase de Pedro. Llega a la (1) _universidad_ a las ocho y media porque su clase de (2) _español_ es a las nueve. El profesor es interesante y (3) _dinámico_.

En la clase, los estudiantes miran un mapa de España y (4) _conversan_ en español.

A las diez y media Pedro tiene clase de (5) _matemáticas_. Para esta clase necesita

(6) _comprar_ una calculadora y un (7) _cuaderno_ en la librería.

EXPLICACIÓN Y EXPANSIÓN

Síntesis gramatical

1. Subject pronouns

SINGULAR		PLURAL	
yo	I	nosotros, nosotras	we
tú	you (familiar)	vosotros, vosotras	you (familiar)
usted	you (formal)	ustedes	you (formal)
él	he	ellos	they
ella	she	ellas	they

2. Present tense of regular -ar verbs

hablar (to speak)

SINGULAR		PLURAL	
yo	hablo	nosotros/as	hablamos
tú	hablas	vosotros/as	habláis
Ud., él, ella	habla	Uds., ellos, ellas	hablan

3. Definite and indefinite articles

	SINGULAR			PLURAL		
	MASC.	FEM.		MASC.	FEM.	
DEFINITE ARTICLES	el	la	the	los	las	the
INDEFINITE ARTICLES	un	una	a/an	unos	unas	some

4. Present tense of the verb *estar* (to be)

yo	estoy	I	am
tú	estás	you	are
Ud., él, ella	está	he, she	is
nosotros/as	estamos	we	are
vosotros/as	estáis	you	are
Uds., ellos, ellas	están	you, they	are

5. Question words

cómo	how/what	cuál/es	which
dónde	where	quién/es	who
qué	what	cuánto/a	how much
cuándo	when	cuántos/as	how many
por qué	why		

Subject pronouns

1-6 Pronombres personales. Fill in the Spanish pronouns to indicate who is doing what, according to the words in parentheses. In the cases where there are no parentheses, the verb endings will help you decide which pronoun you should use.

MODELO: trabaja por la mañana (Alicia)
Ella trabaja por la mañana.

1. __Nosotros__ sacamos buenas notas. (mi amigo y yo)

2. __El__ estudia historia del arte. (Alberto)

3. __usted__ trabajan con computadoras. (tú y la profesora)

4. __Ellos__ bailan los fines de semana. (los estudiantes)

5. __Tu__ llegas a la universidad por la mañana.

6. __Yo__ miro televisión todos los días.

1-7 ¿Quién? Complete each conversation with the correct subject pronoun.

MODELO: *Yo estudio español.*

1. MARÍA: Ana, __tú__ hablas español muy bien.

   ANA: Gracias. __Yo__ practico con los chicos

                de la clase y __nos__ hablamos mucho sobre la cultura hispana.

2. PEDRO: Olga y Marta estudian antropología.

   DAVID: No, __ellas__ estudian historia del arte.

   PEDRO: ¿Y qué estudias __tú__, David?

   DAVID: __Yo__ estudio ciencias sociales.

3. FELIPE: Amanda trabaja con don Carlos. ¿Y con quién trabaja __usted__,

                señorita Pérez?

   SRTA. PÉREZ: __Yo__ trabajo con la Sra. Domínguez.

Present tense of regular *-ar* verbs

1-8   Actividades de los estudiantes. Underline the word that best completes the statement.

1. Cecilia (bailas / baila / bailan) mucho en la discoteca.

2. José (camina / caminamos / camino) todos los días.

3. Las estudiantes (miras / miro / miran) televisión por la noche.

4. Tú (trabajo / trabajas / trabajo) en un restaurante elegante.

5. Yo (monto / montan / montamos) en bicicleta los fines de semana.

1-9   Más actividades. What do these people do on a regular basis? Write sentences using the correct form of the verb

MODELO: yo / escuchar / los casetes / en el laboratorio
           Yo escucho los casetes en el laboratorio.

1. nosotros / mirar / televisión en español los fines de semana

   Nos miramos tele....

2. él / trabajar / en la cafetería por la tarde

   Él trabaja....

3. yo / llegar / a la facultad a las 10:00 a.m.

   Yo llegao.....

4. ellos / bailar / en una discoteca los sábados

   Ellos bailas....

5. tú / conversar / con tus amigos / en la plaza de la universidad

   Tú convasas...

6. ustedes / tomar / mucha cerveza (*beer*) por las noches

   Ustedes tomane...

1-10   Preguntas personales. Answer these questions about yourself and your classmates, using complete sentences.

1. ¿Dónde estudias este semestre/trimestre?

    _____

2. ¿Trabajas este semestre/trimestre? ¿Dónde?

    _____

3. ¿Qué hablan ustedes en la clase de español?

    _____

4. ¿Dónde escuchan ustedes música latina?

    _____

5. ¿Cuándo montan ustedes en bicicleta?

    _____

Articles and nouns: gender and number

1-11   Artículos. Write the appropriate article for each word.

el, la, los, las

1. __la__ videocasetera
2. __los__ cestos
3. __el__ reloj
4. __el__ programa
5. __los__ universidades

6. __los__ cuadernos
7. __el__ día
8. __la__ lección
9. __el__ libro
10. __las__ oficinas

1-12   ¿Qué artículo? Complete each conversation with the correct article.

1. **un, una**

MARÍA: ¿Qué necesitas, Josefina?

JOSEFINA: ____un____ cuaderno y ____un____ lápiz. ¿Y tú?

MARÍA: ____una____ grabadora y ____un____ bolígrafo.

2. **el, la**

JULIO: ¿A qué hora es _____la_____ clase de español?

ALFREDO: A _____la_____ una.

JULIO: ¿Y dónde está _____el_____ profesor? Ya es _____la_____ una y diez.

3. **los, las**

CECILIA: ¿Cuánto cuestan _____los_____ bolígrafos y _____las_____ calculadoras?

DEPENDIENTE: _____ bolígrafos cuestan cuatro dólares. _____ calculadoras cuestan veinticinco dólares.

CECILIA: Dos bolígrafos, por favor.

4. **el, la, los, las**

MARTA: ¿Dónde escuchas _____ casetes?

ANTONIO: En _____ laboratorio.

MARTA: ¿Por _____ tarde?

ANTONIO: Sí, a _____ cuatro o a _____ cinco.

5. **el, la, los, las**

PEDRO: ¿Quién es Julio Álvarez?

MARINA: _____ dependiente de _____ librería.

PEDRO: ¿Qué días trabaja?

MARINA: _____ lunes y _____ miércoles. Él trabaja por

_____ tarde. _____ sábados trabaja por _____ mañana.

6. **un, una, unos, unas**

LUZ: ¿Qué hay en el salón de clase?

DIANA: _____ pupitres, _____ sillas, _____ cesto y _____ pizarra.

LUZ: ¿Y qué hay sobre el escritorio?

DIANA: _____ computadora y _____ diccionario.

1-13   Contradicciones. Your friend likes to contradict everything you say. Anticipate what he/she would say, using the words in parentheses. Follow the model.

MODELO: Hay una tiza en la pizarra. (borrador)
No, hay un borrador en la pizarra.

1. Hay una estudiante muy inteligente en la clase de español. (profesor)

    No hay una prof'

2. Hay un mapa pequeño en el salón de clase. (cesto)

    No ha un cesto

3. Hay un televisor en la clase. (computadoras)

    No hay una cumpa

4. Hay un dependiente muy competente en la librería. (señora)

    No hay una soñara

5. Hay unos ordenadores excelentes en el laboratorio. (grabadoras)

    No hay unos grabadoras

1-14   El plural. What are these people doing? Change these sentences by incorporating the new subjects and making the *italicized* words plural. Do not forget to use the appropriate form of the verb.

MODELO: Rafael estudia con *un amigo.* Los compañeros de Rafael. . .
Los compañeros de Rafael estudian con unos amigos.

1. Usted busca *el mapa* de España. Ustedes. . .

    Ustedes buscas los mapas

2. Yo bailo con *un compañero* de clase. Mis amigas. . .

    Mis amigos bailan

3. Tú compras *el diccionario y el lápiz.* Amanda y tú. . .

    _Tu_

4. Alicia estudia mucho para *la clase.* Las amigas de Alicia. . .

    _____

5. El profesor no trabaja *el domingo.* Los estudiantes con mucho dinero (*money*). . .

    _____

Present tense of the verb *estar*

1-15   Diálogos. A new student is requesting information. Combine the following questions and answers in order to make up a conversation.

¿Dónde está el laboratorio de lenguas?   Estoy bien, gracias.

Hola, ¿cómo estás?   Está en la Facultad de Humanidades.

Está regular.   Lo siento. ¿Y dónde está?

Hoy está en su casa.   ¿Cómo está el profesor López?

el/la nuevo/a estudiante   **usted**

_____   _____

_____   _____

_____   _____

_____   _____

1-16   ¿Dónde están? You are explaining to your classmates where they can find these people and at what time. Choose places from the list and write sentences using the verb **estar**. Write out the time.

la biblioteca   el café   el gimnasio   el laboratorio

la oficina   la casa   la discoteca   la playa

MODELO: nosotros / 2:40 p.m.
           Nosotros estamos en el laboratorio a las tres menos
           veinte de la tarde.

1. yo / 8:00 a.m. _____

2. ustedes / 1:30 p.m. _____

3. ellas / 10:10 a.m._____

4. usted / 9:15 p.m. _____

5. tú / 3:45 p.m._____

1-17   Un niño preguntón. Your five-year old neighbor loves to ask questions. Answer his questions.

1. ¿Dónde estás tú a las 10:00 a.m.?

   _____

2. ¿Dónde está el diccionario de mi papá?

   _____

3. ¿Cómo está tu profesor de español?

   _____

4. ¿Dónde está el Presidente de los Estados Unidos en este momento?

   _____

5. ¿Cómo está el Presidente?

   _____

6. ¿Cómo estás tú?

   _____

Question words

1-18   Asociaciones. A foreign student is answering some questions. Match each question in the left column with the correct response in the right column by writing the number of the question in the space provided.

A		*B*
1. ¿Cómo te llamas?	_____	Inglés y español.
2. ¿De dónde eres?	_____	Calle Sol, número dos.
3. ¿Qué lenguas hablas?	_____	En la biblioteca.
4. ¿Dónde trabajas?	_____	María Delgado.
5. ¿Cuál es tu dirección?	_____	Cinco.
6. ¿Cuál es tu número de teléfono?	_____	Es el 799-4091.
7. ¿Por qué estás en California?	_____	De España.
8. ¿Cuántas clases tienes?	_____	Porque estudio en la universidad.

1-19 ¿Cómo? ¿Cuál? ¿Cuándo? ¿Cuánto(s)/a(s)? ¿Por qué? ¿Qué? ¿Quién? Complete the dialogues with the most appropriate question words.

1. —¿_____es la capital de España?

   —Es Madrid.

2. —¿_____es el concierto?

   —Es el sábado.

3. —¿_____cuesta el libro de física?

   —Cuesta 69 euros.

4. —¿_____es Antonio Banderas?

   —Es muy guapo (*handsome*).

5. —¿_____estudiantes hay en la clase de español?

   —Hay 22 estudiantes más o menos.

6. —¿_____es el Presidente de los EE.UU. (*USA*)?

   —Es George W. Bush.

7. —¿_____no caminas por la playa esta tarde?

   —Porque tengo un examen mañana.

8. —¿_____estudias este semestre?

   —Estudio español, historia y psicología.

1-20 ¿Cuál es la pregunta? Ask the questions that would produce these answers.

MODELO: La clase es interesante.
         ¿Cómo es la clase?

1. El profesor está enfrente de la clase.

   _____

2. Un elefante es un animal muy grande.

   _____

3. Hay 15 personas en el café.

   _____

4. Los alumnos están en la recepción.

   _____

5. El Sr. Ruiz es el papá de Ángela.

   _____

1-21   Entrevista. You have the opportunity to interview your favorite celebrity. Who is he/she? Write at least five questions you would like to ask him/her.

1. _____

2. _____

3. _____

4. _____

5. _____

ALGO MÁS: Some regular -er and -ir verbs

1-22   ¿Qué hacen? What do these people do? Fill in the blanks with the correct form of the verb in parentheses.

1. El dueño (*owner*) de Domino's no _____ (comer) pizza.

2. Yo _____ (leer) mucho en la clase de literatura.

3. Tú _____ (leer) y _____ (escribir) muy bien.

4. ¿Dónde _____ (aprender) ella a bailar?

5. ¿_____ (escuchar) Ud. los discos compactos, en la casa o en el automóvil?

6. Rosana no _____ (escribir) sus exámenes con lápiz.

1-23   Entrevista. Answer the following questions using complete sentences.

1. ¿Qué tomas por la mañana en la cafetería de la universidad?

   _____

2. ¿Dónde aprendes a trabajar con computadoras?

   _____

3. ¿Dónde vive el rector (*president*) de tu universidad?

   _____

4. ¿Lees novelas de misterio en tu clase de literatura?

   _____

5. ¿Dónde trabajan los profesores de química?

   _____

6. Tú comes en la cafetería de la universidad, ¿verdad?

   _____

MOSAICOS

A leer

1-24 **Primera mirada.** Look at the shopping list Carmen Granados' mother has written. It contains school supplies that her children (**hijos**) need, as well as some items she has to buy for other people. Read the list, then look at the chart and fill in her children's names and mark with an X the supplies they need.

¡URGENTE!

- Perfume para papá
- Casetes para Carmen y Alberto
- 1 tarjeta de cumpleaños para el profesor Casa
- 7 cuadernos de composición para Alberto
- 1 novela para mi amiga Stacey

- 1 grabadora Sony (con tocadiscos) para Carmen
- Papel para Carmen y Raúl
- Vitaminas para el bebé
- 4 disquetes para Raúl

NOMBRE	CUADERNOS	GRABADORA	CASETES	PAPEL	LIBROS	DISQUETES	COMPUTADORA

1-25 **¿Qué sabe usted de los Granados?** Answer the following questions.

1. ¿Cuántos hijos tiene la señora Granados probablemente?

_____

2. ¿Son adultos todos los hijos de doña Carmen?

_____

3. ¿Qué relación existe entre Stacey y la señora Granados?

_____

4. ¿Cómo se llaman los hijos de doña Carmen?

_____

1-26   Estudiar en Madrid. You have decided to apply for admission to a summer program in Spain. Complete the following form.

Centro de Estudios Hispánicos de Valladolid

Solicitud de Admisión

Año Académico de 200____ a 200____

La solicitud es para:

_____ Sección española

_____ Sección inglesa

Nombre ( ) Sr. ( ) Srta. ( ) Sra. _____
                                 Primer apellido   Segundo apellido   Nombre

Dirección _____
              Calle y número   Ciudad   D.P./Prov./Estado

Teléfono _____

Por la presente solicito la admisión en el Centro de Estudios Hispánicos de Valladolid para el año _____. En caso de ser aceptada esta solicitud, me comprometo a obedecer las reglas de la institución y a comportarme como una persona responsable.

Fecha _____   Firma _____

Nº de D.N.I. o pasaporte _____

A escribir

1-27   Acentos. A friend of yours is attempting to market a magazine (**revista**) to the Hispanic population of Chicago, Illinois. To explore his potential market, he has prepared the following questionnaire, and has asked you to proofread it for any missing accentuation marks. Write any missing accent marks that you find and then write the word in the right column.

Cuestionario

1. ¿Cual es su nombre completo?   _____

2. ¿Cuantos años tiene usted?   _____

3. ¿Como se llaman sus padres?   _____

4. ¿Donde vive usted?   _____

5. ¿Cuantas personas hay en su familia?   _____

6. ¿Cuantos son adultos?   _____

7. ¿Quienes leen revistas en la casa?   _____

8. ¿Que lenguas hablan en la casa?   _____

1-28   Preparación: Vida universitaria. You are going to a college away from home. Your parents have written you a letter, asking many questions about your new life. Answer with as much detail as possible.

1. ¿Qué clases tomas? ¿A qué hora? ¿Qué días?

    _____

2. ¿Cómo son las clases? ¿Y los profesores?

    _____

3. ¿Estudias mucho? ¿Dónde, en la biblioteca, en el laboratorio de lenguas o en tu cuarto (*room*)?

    _____

4. ¿Dónde trabajas? ¿A qué hora? ¿Qué días? ¿Es interesante tu trabajo?

    _____

5. ¿Qué necesitas comprar para tus clases? ¿Necesitas dinero (*money*)?

    _____

1-29   Una carta. Write your mother a brief letter about your college life, using information from the previous exercise. Also, tell what your friends are like and what you do on weekends. Provide any other information you think would be interesting to her.

24/10/_____

Querida mamá:

_____

_____

_____

_____

_____

_____

_____

_____

_____

Te quiero,

_____

ENFOQUE CULTURAL

1-30 Circle the answer that correctly completes each of the following statements according to the information given in the **Enfoque cultural** on pages 55-57 of your textbook.

1. Una de las universidades más antiguas de Europa es la. . .
   a) Universidad de Valencia.
   b) Universidad de Málaga.
   c) Universidad de Salamanca.

2. En muchos países hispanos, antes de entrar en la universidad, los estudiantes tienen que. . .
   a) tomar un examen.
   b) obtener la recomendación de un profesor.
   c) estudiar dos lenguas.

3. El Museo del Prado, uno de los museos más importantes del mundo, está en la ciudad de. . .
   a) Madrid.
   b) Sevilla.
   c) Salamanca.

4. Las tunas son grupos de. . .
   a) profesores que trabajan con estudiantes extranjeros.
   b) estudiantes que ofrecen serenatas.
   c) profesores y estudiantes que bailan en las plazas.

5. Una ciudad española famosa por la celebración de la Feria de Abril y la Semana Santa es. . .
   a) Barcelona
   b) Madrid.
   c) Sevilla.

6. Cuando hablamos de lenguas, la palabra "castellano" es sinónimo de. . .
   a) catalán.
   b) español.
   c) valenciano.

7. En la región de Galicia, las personas hablan español y. . .
   a) vascuence.
   b) mallorquín.
   c) gallego.

8. En España, la palabra equivalente a O.K. o a la expresión "está bien" es. . .
   a) majo.
   b) vale.
   c) chaval.

Lección 2

Los amigos hispanos

A PRIMERA VISTA

2-1   Asociación. The words in the left column are the opposites of those in the right column. Match them accordingly.

1. baja   _____ antipático

2. simpático   _____ triste

3. débil   _____ idealista

4. alegre   _____ alta

5. realista   _____ fuerte

6. casada   _____ soltera

2-2   Crucigrama (*crossword puzzle*). Solve the following clues to find out more about this person.

1. No es bajo.
2. Es inteligente.
3. No es viejo.
4. No es gordo.
5. No es rubio.
6. No tiene dinero (money).

2-3   Opuestos. You disagree with the descriptions of the characters in a book review of a novel you just read. Correct each description as in the model.

MODELO: Juan no es malo, es *bueno*.

1. Olga no es callada, es _____.

2. Carlos no es perezoso, es _____.

3. Mariluz no es fea, es _____.

4. Ramón no es pobre, es _____.

5. Sebastián no tiene el pelo largo, tiene el pelo _____.

2-4   Nacionalidades. Your friend would like to confirm where some well-known figures are from. Answer the questions, following the model.

MODELO: ¿Sammy Sosa es de la República Dominicana?
          Sí, es dominicano.

1. ¿Ricky Martin es de Puerto Rico?_____.

2. Carolina Herrera es de Venezuela, ¿verdad? _____.

3. ¿Juan Gabriel es de México? _____.

4. ¿Isabel Allende es de Chile? _____.

5. Pedro Almodóvar es de España, ¿verdad? _____.

EXPLICACIÓN Y EXPANSIÓN

Síntesis gramatical

1. Adjectives

	MASCULINE	FEMININE
SINGULAR	chico alto	chica alta
PLURAL	chicos altos	chicas altas
SINGULAR	amigo interesante	amiga interesante
	chico popular	chica popular
PLURAL	amigos interesantes	amigas interesantes
	chicos populares	chicas populares
SINGULAR	alumno español	alumna española
	alumno trabajador	alumna trabajadora
PLURAL	alumnos españoles	alumnas españolas
	alumnos trabajadores	alumnas trabajadoras

2. Present tense of the verb *ser*

yo	soy	nosotros/as	somos
tú	eres	vosotros/as	sois
Ud., él, ella	es	Uds., ellos/as	son

3. *Ser* and *estar* with adjectives

ser + *adjective* ⟶ norm; what someone or something is like

estar + *adjective* ⟶ comments on something; change from the norm; condition

4. Possessive adjectives

mi(s)	*my*
tu(s)	*your*
su(s)	*your* (formal), *his, her, its, their*
nuestro(s), nuestra(s)	*our*
vuestro(s), vuestra(s)	*your* (familiar plural)

Adjectives

2-5 Opiniones. Practice (gender and number) agreement by underlining **all** the adjectives that could describe these people.

1. La mamá de mi compañero es (habladora / gordo / ricas / bonita).

2. Su papá no es (materialista / fea / viejo / rubio).

3. Las estudiantes de mi clase favorita son (simpáticos / populares / inteligentes / atléticas).

4. Los profesores de mi universidad son (débil / agradables / listas / trabajadores).

5. Robin Williams es (extrovertido / cómico / callado / simpático).

2-6 ¿De dónde son? Write the nationality/origin of these people, places, and things.

1. Christina Aguilera es una cantante_____.

2. Hugh Grant es un actor _____.

3. Bogotá es una ciudad (*city*) _____.

4. Canadá y México son dos países (*countries*)_____.

5. *Hola y adiós* son unas palabras _____.

2-7 ¿De qué color son las banderas? First, read the following list of countries and the colors of their flags. Then use this information to describe the flags of the countries using adjectives of nationalities and the appropriate colors.

Países	*Colores de su bandera*
Argentina	azul, blanco
Bolivia	rojo, verde, amarillo
Cuba, Estados Unidos, Francia, Inglaterra	rojo, azul, blanco
España	rojo y amarillo
Venezuela	rojo, azul, amarillo, blanco

MODELO: Perú   rojo, blanco
         La bandera peruana es roja y blanca.

1. España   _____.

2. Argentina   _____.

3. Bolivia   _____.

4. Cuba y Estados Unidos   _____.

5. Venezuela   _____.

2-8   Descripciones. Your pen pal from Argentina is really interested in finding out more information about the following people. He has asked you for specific information. Describe the people from the perspective indicated.

MODELO: Maria Curry - con relación al amor (*love*)
Maria Curry es romántica y apasionada.

1. las chicas norteamericanas - con relación al trabajo _____

_____

2. tus amigos - con relación a los estudios _____

_____

3. Madonna - con respecto a la música _____

_____

4. Arnold Schwarzenegger- con respecto a su aspecto físico _____

_____

5. tú - con relación a tus estudios _____

_____

Present tense and some uses of the verb *ser*

2-9   ¿De quién es? The technician in charge of the language lab notices that some of your classmates left their belongings behind. Follow the model to answer his abbreviated questions.

MODELO: El libro, ¿de quién es?(Marta)
Es de Marta.

1. El cuaderno, ¿de quién es? (José)

_____

2. ¿Y los lápices? (Alfonso)

_____

3. ¿Y el libro? (Lourdes)

_____

4. ¿Y el diccionario? (Rita)

_____

5. ¿Y las mochilas? (Ernesto y Ana)

_____

2-10   ¿De quién? ¿De quiénes? You are the chief security guard on the university campus. A robbery has been committed on the university premises, and the police have requested that you provide them with information about the following people and their belongings to try to solve the case. Complete your report using the words below.

de	del	de la	de los	de las

1. La colección de novelas en la oficina Nº 67 es _____ señora Ramírez.

2. El mapa de Argentina es _____ profesor de geografía.

3. Las mochilas son _____ siete estudiantes argentinos que hay en la universidad.

4. Las grabadoras portátiles son _____ director del laboratorio

   _____ lenguas.

5. El escritorio con llave (*locked*) es _____ don José.

6. Los monitores de televisión son _____ profesoras _____ español.

2-11   Preguntas generales. Your Spanish class is about to begin and you are talking to a new international student. Answer her questions.

1. ¿De dónde eres?_____.

2. ¿A qué hora es el examen de lectura (*reading*)? _____.

3. ¿Dónde son los exámenes finales? _____.

4. ¿De quién es la mochila azul? _____.

Ser and *estar* with adjectives

2-12   Conversación telefónica. Your mother is in a South American country on a business trip. She is talking on the phone with your little brother Tito. What is she saying? Complete their dialog by writing her side of the conversation.

TITO: ¡Hola mamá!

MAMÁ: *¡Hola Tito; Cómo Estas?*

TITO: Estoy bien. ¿Y tú?

MAMÁ: *Estoy bien. Estoy contenta*

TITO: ¿Dónde estás?

MAMÁ: *Estoy en la ~~biblioteca~~ hotel*

TITO: ¿Cómo se llama el hotel?

MAMÁ: *Se llama es Holiday In*

TITO: ¿Cómo es?

MAMÁ: *Es*

TITO: ¿Está enfrente de la playa?

MAMÁ: *No está enfrent de la playa*

TITO: ¿Cuándo regresas (*come back*)?

MAMÁ: _____

TITO: Son las cuatro y media de la tarde.

MAMÁ: _____

TITO: Papá está en el supermercado.

2-13   ¿Ser o estar? Fill in the blanks with the correct form of **ser** or **estar.**

1. Gloria Estefan *es* de Cuba.

2. Carlos y Micaela *están* en la clase hoy.

3. ¿Quién *es* esa chica?

4. Pepe y yo *estamos* muy contentos hoy.

5. Enriqueta y Amanda *son* altas y delgadas.

6. Lucas *es* boliviano, pero ahora *está* en Nueva York con su familia.

7. Felipe *~~es~~ está* triste hoy.

8. La fiesta *es* en la universidad a las 3:00.

2-14   Una fiesta. Cecilia Linares is giving a birthday party for her friend Adelina. Complete the following paragraphs by using the correct form of **ser** or **estar**.

Hoy (1) ___es___ viernes. (2) ___son___ las ocho de la noche y hay una

fiesta de cumpleaños para Adelina. Su amiga Cecilia Linares (3) _____ muy

ocupada porque (4) _____ el cumpleaños de Adelina y la fiesta

(5) _____ en su casa. Adelina (6) _____ argentina. Ella

(7) _____ una chica habladora, simpática y muy cómica.

    En la fiesta, los amigos de Adelina bailan y cantan canciones populares. Cecilia y

Adelina (8) _____ en la terraza (*terrace*). Ellas conversan con unas amigas y

escuchan música. Adelina (9) _____ muy contenta con su fiesta y todos sus

amigos comentan que (10) _____ una fiesta muy divertida.

2-15   ¿Cómo se dice? Use the correct form of **ser** or **estar** after determining if the situation describes a norm or a change from the norm.

Situación	*Descripción*
1. Marta is always in a good mood. She is a happy person.	Marta _____ feliz.
2. Today Marta received a D on her test and she is not herself. Marta is sad.	Marta _____ triste.
3. Anita just got an A on her biology exam. She is happy.	_____ contenta.
4. Felipe is always a good boy and today is no exception.	_____un chico muy bueno.
5. Pippins are good apples. One can recognize them because they are green.	_____ verdes.
6. Everyone agrees about the taste of sugar. It is sweet.	_____ dulce (*sweet*).
7. Juan is used to the warm water of Puerto Rican beaches. Today when he jumped into the water in Santa Monica Bay in California, he shouted: ¡El agua. . .!	_____ fría!

Possessive adjectives

2-16   Una conversación. Complete the conversation using possessive adjectives.

PAQUITA: Esta tarde vas (*you are going*) con nosotros a la playa, ¿verdad?

RODOLFO: No, necesito estudiar para (1) _____ examen de historia.

PAQUITA: ¡Por favor, Rodolfo! (2) _____ examen es el lunes por la tarde,
                y hoy es sábado. Además, (3) _____ notas son excelentes. Ven
                (*come*) con nosotros a la playa y mañana estudias.

RODOLFO: No sé... Los exámenes del profesor González son siempre muy difíciles.

PAQUITA: Pero es más divertido estar en la playa esta tarde, y (4) _____
                amiga favorita también va (*is going*).

RODOLFO: ¿Margarita va?

PAQUITA: Sí, y todos (5) _____ amigos de la clase.

RODOLFO: Pues, no estudio esta tarde. ¡A la playa!

2-17   Cosas favoritas. What are your best friend's favorite items in each category? Use **su**
or **sus** in your answers.

MODELO: libro
            Su libro favorito es <u>*La vida en el siglo XX.*</u>

1. programas de televisión _____

2. actor _____

3. restaurante _____

4. canciones (*songs*)_____

5. cantante (*singer*) _____

2-18   Planes para el mes de julio. These are the plans of some young people for the month of July. Complete the paragraphs using the possessive adjectives corresponding to the underlined words.

A. <u>Diego y Alfredo</u> viven en Miami con _____ familia. _____ padres son argentinos y ellos hablan español en la casa. _____ abuelos (*grandparents*) no viven en Miami, viven en Buenos Aires. Diego y Alfredo desean pasar el mes de julio en Argentina y hablan por teléfono con _____ abuelo. Él está muy contento con los planes de los chicos.

B. <u>Mi amigo Julio y yo</u> vamos a (*are going to*) visitar California. _____ amiga Mirta Hernández estudia en Los Ángeles y vamos a estar en su apartamento. Nosotros deseamos ir en auto, pero _____ auto es muy viejo. _____ compañeros opinan que el auto es viejo, pero que está en buenas condiciones.

2-19   Mis amigos. You are being interviewed about your classmates and professors. Answer the questions. Then, prepare a similar set of questions to interview one of your classmates.

1. En general, ¿cómo son sus compañeros de clases?
   _____

2. ¿Cómo se llama su compañero favorito? ¿Y su compañera favorita?
   _____

3. ¿Quién es su profesor/a más estricto/a? ¿Quién es el/la más flexible?
   _____

4. ¿Con qué frecuencia ve a sus compañeros fuera (*outside*) de clase?
   _____

1. _____
2. _____
3. _____
4. _____

Nombre: _____   Fecha: _____

ALGO MÁS: Expressions with *gustar*

2-20   Los gustos. One of your friends has been asked to write an article for the school newspaper about students' and professors' preferences. He is responsible for interviewing Emilio and Professor Cruz. Help your friend write the questionnaire by using the sketchy information he gave you. Follow the model.

MODELOS: Emilio / gustar / las clases este semestre
Emilio, ¿te gustan las clases este semestre?
profesor Cruz / gustar / enseñar los sábados
Profesor Cruz, ¿le gusta enseñar los sábados?

1. Emilio / gustar / estudiar en esta universidad

   _____

2. Emilio / gustar / el servicio de informática de la universidad

   _____

3. profesor Cruz / gustar / los estudiantes con mucha o poca imaginación

   _____

4. profesor Cruz / gustar / su oficina

   _____

5. profesor Cruz / gustar / trabajar con otros colegas en proyectos interdisciplinarios

   _____

A leer

2-21   Estudiar en Argentina. In a letter to a friend, you mentioned that you had read about a program for foreigners in Argentina. Share the following information with her and answer her questions based on the ad.

María Mazzotti

CURSOS

PINTURA • CULTURA • BALLET

*Bailes folclóricos argentinos: malambo, tango, milonga
Arte folclórico andino
Excursiones: Cataratas del Iguazú, Mar del Plata*

Avenida José Faustino Sarmiento 1276
Buenos Aires   Tel.: 2836581 Fax: 2836582

1. ¿Cómo se llama la escuela?

_____

2. ¿En qué ciudad está?

_____

3. ¿Cuál es la dirección?

_____

4. ¿Cuál es el número de teléfono?

_____

5. ¿Qué cursos ofrecen?

_____

A escribir

Stress and written accent

2-22 **Acentos** (*esdrújulas*). First, read aloud the following words and then write the accent on those words that need one. Remember that words that are stressed on the third from the last syllable –from right to left– must have a written accent.

1. matematicas
2. señorita
3. informatica
4. boligrafo
5. pupitre
6. numero

7. televisor
8. semana
9. dinamico
10. atletico
11. interesante
12. sabado

13. timido
14. compañero
15. logico
16. simpatico
17. argentino
18. quimica

19. musica
20. arrogante
21. lastima
22. perfeccionista
23. avenida
24. romantico

2-23 **Buscando pareja.** To meet Mr./Ms. Right, you have contacted a dating service through the Internet. To help you find a suitable partner, the dating service company needs some personal information from you as well as a profile of the potential partner (*pareja*) you have in mind. Write sentences to provide them with the information requested.

	USTED	PAREJA
Nacionalidad		
Edad (*age*)		
Descripción física		
Personalidad		
Gustos: música, actividades durante el tiempo libre, etc.		
Vida académica: universidad, estudios, etc.		

2-24   Un anuncio. Besides exploring the dating services in the Internet, you have decided to put an ad in the local newspaper. Use the information in 2-23 to write the ad and provide as much information as possible about yourself and the person of your dreams.

Soy un/a joven...

_____

_____

_____

_____

Mi compañero/a ideal...

_____

_____

_____

_____

ENFOQUE CULTURAL

2-25   Indicate if the following statements are true (**cierto**) or false (**falso**) by writing **C** or **F** in the spaces provided, according to the information given in the **Enfoque cultural** on pages 87-89.

1. _____En los países hispanos existe una gran diversidad étnica.

2. _____La diversidad étnica es igual en todos los países.

3. _____En los países de la América Central y la América del Sur el mestizaje más común es entre indígenas y europeos.

4. _____En el Caribe predomina el mestizaje entre europeos y africanos.

5. _____La mayor parte de la población argentina tiene ascendencia europea.

6. _____Los europeos que predominan en Argentina son los alemanes.

7. _____La capital argentina es Mar del Plata.

8. _____Un lugar muy famoso para esquiar en Argentina es Bariloche.

9. _____Los argentinos usan la palabra **¡Bárbaro!** para expresar que algo es muy bueno.

10. _____Una palabra que los argentinos usan cuando hablan con otras personas es **che.**

Lección 3

Nombre: _____

Fecha: _____

Las actividades y los planes

A PRIMERA VISTA

3-1   Agenda de la semana. Look at your neighbors' schedules for the week. Write about their activities following the model.

MODELO: lunes/Eva
          El lunes Eva camina por la playa.

1. martes/Manuela_____

2. miércoles/Manuela y Eva _____

3. jueves/Eva_____

4. viernes/Pablo _____

5. sábado/Manuela _____

6. domingo/Pablo y Eva _____

DÍA DE LA SEMANA	PABLO	MANUELA	EVA
Lunes	caminar a la oficina		caminar por la playa
Martes		tomar el sol	
Miércoles	hablar con el director	nadar en el mar	nadar en el mar
Jueves		tocar la guitarra	leer unas revistas
Viernes	celebrar su cumpleaños		estudiar inglés
Sábado	leer el periódico	alquilar una película	
Domingo	mirar la televisión	cenar fuera	mirar la televisión con Pablo

3-2   Tus actividades. A new friend is interested in your weekend activities. Answer his/her questions.

1. ¿Qué haces en la playa?

    _____

2. ¿Cuándo vas al cine?

    _____

3. ¿Qué música escuchas?

    _____

4. ¿Lees el periódico por la mañana o por la tarde?

    _____

5. ¿Qué hacen tú y tus amigos en las fiestas?

    _____

3-3   Las comidas. Match the foods and beverages in the right column with the appropriate meal in the left column.

1. desayuno

2. almuerzo

3. cena

_____ pescado

_____ tostadas

_____ jugo de naranja

_____ papas fritas

_____ huevos fritos y jamón

_____ sopa de verduras

_____ arroz con pollo

_____ hamburguesa

3-4 Crucigrama: lugares y actividades. Complete the crossword puzzle based on the following questions.

Horizontales

2. Tú _____ un libro en la clase.
6. Ana y Laura no son pobres, son _____.
7. Yo _____ una hamburguesa con papas fritas.
8. Virginia _____ un diccionario en la librería.
10. La familia va a _____ la televisión a las ocho.
11. Los jóvenes nadan en la _____.
15. Josefina y Carlos estudian en la _____.
17. La chica _____ canciones peruanas.
18. Nosotros escuchamos música en _____ de María Rosa.
19. Los chicos ven películas en los _____.
20. Yo _____ en la playa.
21. Vamos a ver *Todo sobre mi madre* en el _____.
22. Pedro vive en una _____ muy bonita.

Verticales

1. Mi familia va a _____ en California.
2. Van a ver _____ película nueva de Penélope Cruz.
3. Tú _____ los ejercicios (*exercises*) en el cuaderno.
4. Víctor nada en el _____.
5. Tú _____ mucho café.
9. Manuelita y yo _____ mucho en la fiesta.
11. Tú _____ español en el laboratorio de lenguas.
12. Pedro practica en el _____.
13. Bernardo _____ la película con Luisa.
14. Mi amiga tiene una computadora en la _____.
15. Maruja _____ un refresco de limón.
16. Nicolás _____ el sol en la playa.

3-5   En un restaurante. Mr. Peña is a regular customer at the "*La Posada*" restaurant. Today he is very hungry. Answer the waiter's questions for him.

CAMARERO: Buenas tardes, señor Peña. ¿Desea el menú?

SR. PEÑA: _____

CAMARERO: ¿Qué va a comer hoy?

SR. PEÑA: _____

CAMARERO: ¿Y para beber? ¿Desea cerveza o agua mineral?

SR. PEÑA: _____

CAMARERO: ¿Qué sopa va a tomar?

SR. PEÑA: _____

CAMARERO: ¿Qué desea de postre (*dessert*)?

SR. PEÑA: _____

3-6   Una excursión divertida. You and some classmates are organizing a picnic for the weekend. Write sentences telling what each of you will contribute, using the items and verbs from the list.

hamburguesas	helados	tocar	alquilar	ensalada	pan
pollo frito	cerveza	guitarra	frutas	comprar	agua
preparar	refrescos	buscar	música	bicicletas	conversar

1. _____va a _____

2. _____ y_____ van a _____

3. _____ va a _____

4. Yo voy a _____

5. _____ y yo vamos a_____

6. Todos vamos a_____

EXPLICACIÓN Y EXPANSIÓN

Síntesis gramatical

1. Present tense of regular -er and -ir verbs

comer (*to eat*)

yo	como	nosotros/as	comemos
tú	comes	vosotros/as	coméis
Ud., él, ella	come	Uds., ellos/as	comen

vivir (*to live*)

yo	vivo	nosotros/as	vivimos
tú	vives	vosotros/as	vivís
Ud., él, ella	vive	Uds., ellos/as	viven

2. Present tense of ir

ir (*to go*)

yo	voy	nosotros/as	vamos
tú	vas	vosotros/as	vais
Ud., él, ella	va	Uds., ellos/as	van

3. *Ir* + *a* + infinitive to express future time

Ana **va a ser** la presidenta.   *Ana is going to be the president.*

4. The present tense to express future action

¿Estudiamos esta noche?   *Are we going to study tonight?*

Present tense of regular *-er* and *-ir* verbs

3-7   El periódico. People usually read a daily newspaper that is published in the city where they live. Fill in the blanks with the correct form of the verbs **leer** and **vivir**.

MODELO: Juan <u>vive</u> en Nueva York. Él <u>lee</u> *The New York Times.*

1. Ustedes _____ en Lima. Ustedes _____ *El Comercio.*

2. Los estudiantes ___viven___ en México. Ellos ___leen___ *Excélsior.*

3. Tú ___vives___ en Buenos Aires. Tú ___lees___ *La Nación.*

4. Mercedes ___vive___ en Bogotá. Ella ___lee___ *El Tiempo.*

5. Alicia y yo ___vivimos___ en Madrid. Nosotros ___leemos___ el *ABC.*

3-8   ¿Qué hacen los estudiantes? Answer the following questions about your campus and your activities

1. Por lo general, ¿a qué hora llegan los estudiantes a la cafetería para el desayuno/almuerzo?

   _____

2. ¿Qué comen los estudiantes allí?

   _____

3. ¿Qué beben?

   _____

4. ¿Qué hacen en la biblioteca? Y usted, ¿qué hace?

   _____

5. ¿Qué hacen los fines de semana?

   _____

3-9   ¿Qué hace usted? Here's a page from your weekly calendar. Write at least one activity for each day using some of these verbs.

MODELO: domingo
            Leo el periódico por la mañana.

comer	estudiar	conversar	leer	escribir	bailar
ver	tocar	beber	nadar	trabajar	descansar
hablar	practicar	caminar	escuchar	alquilar	celebrar

Lunes	Viernes
Martes	Sábado
Miércoles	Domingo
Jueves	NOTAS:

3-10   Consejos útiles. Your classmates trust your judgment and often tell you about their worries, wishes, etc. Tell them what they should do.

MODELO: Trabajo mucho y estoy muy cansado/a.
            Debes descansar y comer bien.

1. Nos gusta comer y estamos un poco gordos.

   _____

2. Yo estudio, pero saco malas notas en mis clases.

   _____

3. Me gusta ir al cine y deseo ver una película buena este fin de semana.

   _____

4. En nuestra clase, deseamos celebrar el cumpleaños del profesor.

   _____

5. Me gustan los restaurantes de comida rápida, pero tengo el colesterol un poco alto.

   _____

Present tense of *ir*

3-11   **¿Adónde van?** Where are these people going? Write sentences using the verb **ir**.

MODELO: Pedro /al café
           Pedro va al café.

1. José y yo / discoteca _____

2. Los estudiantes / cine _____

3. Maribel / casa de Rosario _____

4. Tú / gimnasio _____

5. El profesor(La profesora) / universidad _____

3-12   **Los planes.** You are interviewing your friend and his family. Write their answers to your questions using the information in parentheses.

MODELO: ¿Con quién va Ud. a la discoteca hoy? (los amigos de Rosa)
           Voy con los amigos de Rosa.

1. ¿Con quién va Ud. al cine el domingo? (Ricardo)

   _____

2. ¿Cómo va Ud., en auto o en bicicleta? (no)

   _____

3. ¿Adónde van Uds. pasado mañana? (Lima)

   _____

4. ¿Quiénes van al cine por la tarde? (los chicos)

   _____

5. ¿Adónde vas tú esta noche? (el restaurante peruano)

   _____

Ir + *a* + infinitive to express future time

3-13   Asociaciones. Match what the following people are going to do with the appropriate places.

1. En el café, la Sra. Menéndez   _____ van a leer un libro.

2. En el cine, tú   _____ va a tomar un refresco.

3. En mi casa, yo   _____ vas a ver una película.

4. En la biblioteca, ellos   _____ voy a hacer la tarea.

5. En el concierto, Ana y yo   _____ vamos a escuchar música clásica.

3-14   ¿Qué van a hacer? Write what these people are going to do based on where they are.

MODELO: Antonio y yo estamos en el cine.
            Vamos a ver una película mexicana.

1. Alicia está en la librería.

   _____

2. Tú estás en la clase de español.

   _____

3. Los muchachos están en una fiesta.

   _____

4. Pedro y yo estamos en un café.

   _____

5. Yo estoy en mi casa.

   _____

The present tense to express future action

3-15 **¿Qué hacemos?** You want to find out what you and your friends are doing in the near future. Match the following answers with the appropriate questions.

1. ¿A qué hora cenamos hoy?   _____ Alquilo una película.

2. ¿Estudian Uds. después?   _____ Sí, en el parque.

3. ¿Qué haces esta noche?   _____ A las 8:00 p.m.

4. ¿Adónde vas el mes próximo?   _____ A Cuzco.

5. ¿Caminan ellos esta noche?   _____ Sí, en la biblioteca.

3-16 **El fin de semana.** You have special plans for this weekend. Write what you plan to do each day at different times. Use the verbs in the list or any other verb you know.

trabajar	leer	comer	escuchar	ver
escribir	bailar	ir	aprender	mirar

sábado (8:30 a.m., 5:30 p.m., 10:00 p.m.)

_____

_____

_____

domingo (11:30 a.m., 2:00 p.m., 9:00 p.m.)

_____

_____

_____

Numbers 100 to 2,000,000

3-17 **¿Cuál es el número?** Circle the Arabic numeral that matches the written number on the left.

1. doscientos treinta   320   230   220

2. cuatrocientos sesenta y cinco   645   575   465

3. ochocientos cuarenta y nueve   849   989   449

4. setecientos doce   612   702   712

5. novecientos setenta y cuatro   564   974   774

6. seiscientos cincuenta y cinco   655   715   665

3-18   Datos sobre Perú. You are doing some research on Peru for your geography class. Based on the information given, complete the chart with the correct numbers.

Perú, situado en la parte central y occidental de la América del Sur, tiene una superficie de 1.285.215 kilómetros. El país está dividido en tres grandes regiones: costa tropical, sierra alta y selva (*jungle*) amazónica. La zona de la costa tiene entre 70 y 170 kms. de ancho (*width*), y la cordillera de los Andes separa esta zona de la selva del Amazonas, que constituye el 59% del territorio peruano. Como consecuencia, Perú tiene una gran variedad de climas y ecosistemas, y es uno de los cinco países que tienen más diversidad biológica en el mundo.

En la actualidad, la población de Perú es de 24 millones de habitantes, y la mitad de su población tiene menos de 21 años.

PERÚ				
Área	Número de regiones	Costa: ancho mínimo	Costa: ancho máximo	Población

ALGO MÁS: Some uses of *por* and *para*

3-19   ¿Cuál? If you were to translate these sentences into Spanish, which word would you choose for each one, **por** or **para**?

_____   1.   The computer is **for** us.

_____   2.   Do you want to walk **through** the campus?

_____   3.   We danced **for** four hours.

_____   4.   They are leaving **for** the plaza.

_____   5.   The calculator is **for** the calculus class.

3-20   ¿Por o para? Complete the sentences with **por** or **para**.

1. Los libros son _____ Juan.

2. Me gusta caminar _____ las calles de Cuzco.

3. ¡ _____ fin vamos a comer!

4. Escribo una carta _____ la profesora.

5. Las aspirinas son _____ el dolor de cabeza (*headache*).

6. Bailamos _____ una hora.

MOSAICOS

A leer

3-21   El moreno. You found this ad in a Peruvian magazine. Read it and answer the questions.

EL MORENO

¡Fresco, incomparable, vigorizante!

Fiel amigo de las mananas frias y calientes. ¡Tiene sabor
a vida! Con o sin azúcar, siempre es delicioso hasta la
última gota. Da energìa y Ilena sus dias de felicidad.
Hágalo su amigo amiho inseparable
en los buenos y en los malos momentos.

¡Quien bebe café EL MORENO es feliz!

1. ¿Qué es *El moreno?*

_____

2. ¿Cómo es?

_____

3. ¿Qué características de *El moreno* son como las características de un amigo?

_____

4. ¿Cómo es la persona que bebe *El moreno*?

_____

5. ¿Cuál es su café favorito?

_____

6. ¿Cuándo toma usted café?

_____

A escribir

3-22   Acentos. Write the accent mark on those words that need one.

1. dificil
2. casas
3. cerveza
4. lapiz
5. examen

6. joven
7. tomate
8. portatil
9. ceviche
10. ¿como?

11. facil
12. angel
13. fritas
14. dolar
15. debil

16. util
17. durante
18. caracter
19. azules
20. ¿donde?

3-23   Primera etapa: preparación. You are spending summer vacation with a friend at El Callao, Perú. Write the first draft of a postcard you want to send to a classmate in your Spanish class. Tell him/her a) the name of the hotel where you are staying, b) its location with respect to the beach, and c) your plans for the next two days. Use **Querido/a** (*Dear*) + name followed by a colon (e.g., **Querido Ernesto:**) to address your friend and **Un saludo cariñoso de** (*affectionately*) + your name as a closing.

3-24   Segunda etapa: revisión. Now that the first draft of the postcard is finished, review it by asking yourself the following questions.

a. Did you provide your friend with the basic information about your vacation?

b. Are you using the most appropriate words to describe your thoughts?

c. Are you using the formal or the informal form of the verbs to address your classmate?

d. Does the ending of the verb agree with the person or thing it refers to?

e. Are you using the verb *ir*, or *ir* + *a* + infinitive to express plans?

f. Are the words spelled correctly? Are the accent marks in the right place?

3-25   **Una tarjeta postal: versión final.** Write the final version of the postcard.

```
┌─────────────────────────────────┬─────────────────────────────┐
│                                 │                       ┌────┐ │
│                                 │                       │    │ │
│                                 │                       └────┘ │
│                                 │                             │
│                                 │                             │
│                                 │                             │
│                                 │                             │
│                                 │                             │
│                                 │                             │
│                                 │                             │
│                                 │                             │
│                                 │                             │
│                                 │                             │
└─────────────────────────────────┴─────────────────────────────┘
```

ENFOQUE CULTURAL

3-26 Circle the answer that correctly completes each of the following statements according to the information given in the **Enfoque cultural** on pages 121 –123 of your textbook.

1. En los países hispanos, las personas que desean ver una zarzuela van. . .
   a) al hipódromo. b) a la plaza de toros. c) al teatro.

2. Las películas extranjeras que se presentan en los cines de los países hispanos siempre. . .
   a) están dobladas. b) tienen subtítulos. c) están dobladas o tienen subtítulos.

3. Para tomar o comer algo y también disfrutar de una obra teatral corta, las personas pueden ir a un. . .
   a) cine. b) café-teatro. c) teatro.

4. Para disfrutar de la música y los bailes folclóricos peruanos, las personas van a. . .
   a) las peñas. b) la playa. c) los cafés.

5. La capital de Perú, llamada también la Ciudad de los Reyes, es. . .
   a) Lima. b) Trujillo. c) Nazca.

6. La antigua capital del Imperio Inca es la ciudad de. . .
   a) Machu Picchu. b) Lima. c) Cuzco.

7. Las famosas líneas que forman diseños en el desierto están en. . .
   a) Nazca. b) Saccsayhuaman. c) Trujillo.

8. La ciudad de barro más grande del mundo es. . .
   a) Cuzco. b) Chan Chan. c) Machu Picchu.

9. En Perú, una palabra equivalente a "trabajo" es. . .
   a) bacán. b) chamba. c) chancón.

10. Para expresar que algo está fabuloso o muy bien, en Perú usan la palabra. . .
    a) maldito. b) mochica. c) chimú.

Lección 4

La familia

A PRIMERA VISTA

4-1   Asociaciones. Match the words on the left with the explanations on the right.

1. tío

2. abuela

3. primos

4. hermana

5. nietos

_____ hija de mis padres

_____ hermano de mi padre

_____ hijos de mis hijos

_____ madre de mi madre

_____ hijos de mis tíos

4-2   La familia de Julito y de Anita. Fill in the blanks expressing the relationships among the people in the family tree. Do not forget to use the articles when necessary.

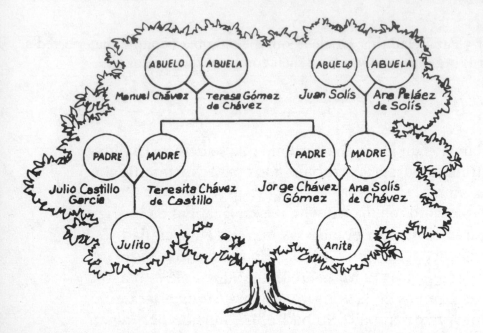

MODELO: Don Manuel Chávez es *el esposo* de doña Teresa Gómez.

1. Teresita Chávez es _____ de Jorge Chávez.

2. Julito y Anita son _____.

3. Jorge Chávez es _____ de Anita.

4. Doña Teresa Gómez de Chávez es _____ de Teresita Chávez de Castillo.

5. Don Juan Solís y doña Ana Peláez de Solís son _____ de Anita.

6. Julito es _____ de don Manuel Chávez.

7. Jorge Chávez es _____ de Julito.

8. Doña Ana Solís de Chávez es _____ de doña Ana Peláez de Solís.

4-3   La Fundación Amor y Paz. Read this article about a Colombian couple that started a non-profit (**sin fines de lucro**) organization in Cali. Then complete the summary.

En la ciudad de Cali vive un joven matrimonio que se dedica a ayudar a familias pobres. Tratan de buscarles trabajo a los padres y mantienen una guardería[1] para los niños.

Este joven matrimonio es muy respetado y admirado en la ciudad. Él, Camilo Gómez Buendía, licenciado en Ciencias Económicas, decidió un día dejar su carrera y comenzar esta bella labor cuando vio la situación desesperada de muchas familias de la zona. Su esposa, Mónica Jaramillo de Gómez, es su compañera de trabajo. Su padre, el conocido periodista Fernando Jaramillo Torres, publicó un artículo sobre esta obra sin fines de lucro y la reacción del público fue extraordinaria. Hoy en día la Fundación Amor y Paz ayuda a más de cien familias a rehacer su vida.

Mónica es la tercera hija del matrimonio Jaramillo. Ella y su madre, Blanca Giraldo de Jaramillo, entrevistan a las familias, y con psicólogos y voluntarios ofrecen la ayuda necesaria a las familias que se acercan a la fundación. Los hijos de Camilo y Mónica, de tres y cinco años, se unen a los juegos y actividades de la guardería, y de esta forma toda la familia participa en esta bella obra.

_____
1 *day care center*

Camilo Gómez Buendía es licenciado en (1) _____. Está casado con

(2)_____. El (3) _____ de ella es el periodista Fernando

Jaramillo Torres. Su madre es (4) _____ y coopera también con la

fundación. Camilo y Mónica tienen dos (5) _____ que participan en los

juegos y actividades de la guardería. En la actualidad, la Fundación Amor y Paz ayuda a

unas (6) _____ familias de limitados recursos económicos.

4-4   Mi familia inmediata. You are being interviewed about your family. Answer these questions.

1. ¿Cuántas personas hay en su familia?

   _____

2. ¿Cuántos hermanos/as tiene usted?

   _____

3. ¿Cuántos años tienen sus hermanos/as? ¿Y usted?

   _____

4. ¿Dónde trabaja su padre? ¿Y su madre?

   _____

5. ¿Dónde viven sus padres?

   _____

6. ¿Es usted soltero/a o casado/a?

   _____

7. ¿Tiene hijos? ¿Cuántos?

   _____

EXPLICACIÓN Y EXPANSIÓN

Síntesis gramatical

1. Present tense of stem-changing verbs (*e > ie, o > ue, e > i*)

PENSAR (*TO THINK*)

yo	pienso	nosotros/as	pensamos
tú	piensas	vosotros/as	pensáis
Ud., él, ella	piensa	Uds., ellos/as	piensan

VOLVER (*TO RETURN*)

yo	vuelvo	nosotros/as	volvemos
tú	vuelves	vosotros/as	volvéis
Ud., él, ella	vuelve	Uds., ellos/as	vuelven

PEDIR (*TO ASK*)

yo	pido	nosotros/as	pedimos
tú	pides	vosotros/as	pedís
Ud., él, ella	pide	Uds., ellos/as	piden

---

2. Adverbs

FEMININE FORM:	rápida	rápidamente
NO SPECIAL FEMININE FORM:	fácil	fácilmente

---

3. Present tense of *hacer, poner, salir, traer,* and *oír*

---

yo	hago	nosotros/as	hacemos
tú	haces	vosotros/as	hacéis
Ud., él, ella	hace	Uds., ellos/as	hacen

---

yo	pongo	nosotros/as	ponemos
tú	pones	vosotros/as	ponéis
Ud., él, ella	pone	Uds., ellos/as	ponen
yo	salgo	nosotros/as	salimos
tú	sales	vosotros/as	salís
Ud., él, ella	sale	Uds., ellos/as	salen
yo	traigo	nosotros/as	traemos
tú	traes	vosotros/as	traéis
Ud., él, ella	trae	Uds., ellos/as	traen
yo	oigo	nosotros/as	oímos
tú	oyes	vosotros/as	oís
Ud., él, ella	oye	Uds., ellos/as	oyen

4. *Hace* with expressions of time

Hace dos horas que juegan.　　*They've been playing for two hours.*

Present tense of stem-changing verbs (e → ie, o → ue, e → i)

4-5　　**¿Qué quieren para su cumpleaños?** Write down what the following people want for their birthdays, choosing items from the list or giving your own suggestions.

| un auto | una motocicleta | un estéreo | un video | un televisor |
| una bicicleta | un radio | una computadora | un reloj | una fiesta |

MODELO: *Mi madrina quiere un televisor nuevo.*

1. Mi mejor amigo_____.

2. Yo _____.

3. Mis hermanas _____.

4. Nosotros _____.

5. Mi novio/a _____.

6. Tú _____.

4-6   ¿Pueden o no pueden? Write what these people can or can't do. Choose items from the list or think of your own to make your sentences more interesting.

ACTIVIDADES		
beber refrescos dietéticos	estudiar en el café	usar la computadora
comer dos hamburguesas	pasar las vacaciones en. . .	leer dos periódicos
dormir 12 horas	escribir composiciones en francés	comprar una casa

MODELO: caminar *Yo (no) puedo caminar dos kilómetros.*

1. El profesor _____.

2. Mi hermana _____.

3. Yo _____.

4. Tú _____.

5. Mi amigo y yo _____.

6. Mis padres _____.

4-7   ¿Qué piden? You and your family are at a restaurant. Complete each sentence using the appropriate form of **pedir** and a description from the list.

italiano   mexicano   francés   chino   de comida rápida

1. Mis hermanas _____ arroz frito en un restaurante _____.

2. Yo _____ salmón en un restaurante _____.

3. Mi madre _____ tacos en un restaurante _____.

4. Nosotros _____ espaguetis en un restaurante _____.

5. Mi primo _____ una hamburguesa en un restaurante _____.

4-8 ¿Qué hace usted? Explain what you do in the following situations. Use the verbs in the list to answer the questions. (There are more verbs than you will need.)

repetir   seguir   almorzar   empezar

pedir   preferir   dormir   pensar

MODELO: ¿Qué hace usted después de que saca algo del refrigerador?
            Cierro la puerta.

1. ¿Qué hace usted cuando está en la cafetería a las 12:00 p.m.?

   _____

2. ¿Qué hace usted después de que lee el menú en un restaurante?

   _____

3. ¿Qué hace usted cuando ve una flecha (*arrow*) que indica el lugar que busca?

   _____

4. ¿Qué hace usted cuando está muy cansado/a?

   _____

5. ¿Qué hace usted cuando tiene un problema difícil en la clase de matemáticas?

   _____

Adverbs

4-9 Mi mundo. Complete the following statements with the choice that best describes your personal experience.

1. Me gusta comer. . .
   a) lentamente.   b) rápidamente.   c) continuamente.
2. Mi autor/a favorito/a escribe. . .
   a) románticamente.   b) honestamente.   c) fácilmente.
3. Los profesores de mi universidad se visten. . .
   a) formalmente.   b) elegantemente.   c) informalmente.
4. Por lo general, mis padres analizan los problemas. . .
   a) inmediatamente.   b) lentamente.   c) lógicamente.
5. Prefiero viajar (*travel*). . .
   a) regularmente.   b) frecuentemente.   c) rápidamente.
6. Yo resuelvo los problemas. . .
   a) fácilmente.   b) tranquilamente.   c) rápidamente.
7. En público, hablo. . .
   a) nerviosamente.   b) perfectamente.   c) claramente.
8. Manejo (*I drive*) mi auto. . .
   a) diariamente.   b) frecuentemente.   c) lentamente.

4-10   En la universidad. Describe your daily life as a student by completing the following statements. Choose an adjective from the list and make it an adverb ending in **-mente** before giving your answer. You may also think of your own adverbs and use any verb of your choice.

relativo	rápido	fácil	simple	real
básico	lento	tranquilo	regular	general

MODELO: Yo _____
          Yo *hablo lentamente.*

1. Por las mañanas _____.

2. _____ por la noche.

3. _____ por la tarde.

4. Mi compañeros pasean por el parque _____.

5. Me gusta _____.

6. Voy al _____.

4-11   Los hábitos de mi familia. You are writing a composition about your family for your Spanish class. Make a list of each of your family members' habits using adverbs.

MODELO: *Mi padre usa la computadora diariamente.*

1. _____

2. _____

3. _____

4. _____

5. _____

6. _____

Present tense of *hacer, poner, salir, traer,* and *oír*

4-12   Mi hermano Danilo, mis padres y yo. Complete these paragraphs with the correct form of the verbs **hacer, poner, salir, traer,** and **oír.**

Por la mañana:

Danilo y mi padre (1) _____ de casa a las 7:30 de la mañana. Mi padre siempre

(2) _____ el radio del auto y (3) _____ las noticias. Llegan a la

universidad a las 8:00. Mi padre va a su oficina y Danilo va a la biblioteca y allí

(4) _____ su tarea. Yo (5) _____ de la casa a las 9:00 de la mañana y

llego a la universidad a las 9:30. Primero voy a la clase de biología y (6) _____

los experimentos en el laboratorio. Cuando termino, (7)_____ los resultados del

experimento sobre el escritorio del profesor y voy a mis otras clases.

Por la noche:

Mi mamá (8) _____ música mientras prepara la cena. Mi padre llega a las seis más o

menos y siempre (9) _____ pan fresco para la cena. Mi hermano y yo

(10) _____ la mesa y todos cenamos juntos y hablamos sobre las actividades del día.

4-13   La semana. What activities do you associate with the days of the week? Use the verbs indicated in your answers to say what you do.

1. el domingo / salir

    _____

2. el miércoles / hacer

    _____

3. el jueves / poner

    _____

4. el sábado / oír

    _____

5. el viernes / traer

    _____

4-14   Un picnic. A group of friends is planning a picnic. Complete their conversation using the correct form of the verbs **hacer, oír,** and **traer.**

PEPE: ¿Quién va a hacer los sándwiches y la ensalada?

ALICIA: Yo (1) _____ los sándwiches. Y tú, Ernesto, ¿(2) _____ la ensalada?

ERNESTO: No hay problema. Yo (3) _____ la ensalada.

PEPE: ¿Y quién va a traer los refrescos? Yo no puedo ir al supermercado.

CARLOS: Tranquilo. Yo (4) _____ los refrescos.

TERESA: Y Marina y yo (5) _____ el radio.

PEPE: Vamos a conversar, comer bien y (6) _____ música. Va a ser un picnic magnífico.

Hace with expressions of time

4-15 **¿Cuánto tiempo hace que. . .?** Your cousin wants to know how long you have been doing (or not doing) these activities. Write your answer in two different ways. Start one sentence with **Hace. . . que. . .** and the other with the present tense of the verb.

MODELO: jugar tenis
Hace dos años que juego tenis.
Juego tenis (desde) hace dos años.
No juego tenis (desde) hace dos años.

1. hacer ejercicio (*exercise*)

   _____

   _____

2. querer comprar un auto

   _____

   _____

3. no ver una buena película

   _____

   _____

4. no escuchar música colombiana

   _____

   _____

5. no ir a Cartagena

   _____

   _____

ALGO MÁS: Some reflexive verbs

4-16 **Una mañana en la vida de Mónica.** Complete these sentences about some of Mónica's daily activities. Choose the most appropriate verb to complete each one.

bañarse   levantarse   peinarse   secarse   vestirse

1. Son las siete de la mañana, suena el despertador (*the alarm clock rings*) y Mónica _____.

2. Ella apaga (*turns off*) el despertador y va al baño para _____.

3. Después, Monica _____.

4. Finalmente ella _____ , _____ y va a desayunar.

4-17   ¿Qué hace usted por la mañana? Answer the following questions according to your daily routine.

1. ¿A qué hora se levanta usted?

   _____

2. ¿Usted se baña por la mañana, por la tarde o por la noche?

   _____

3. ¿Qué hace usted después de bañarse?

   _____

4. ¿Qué más hace usted antes de desayunar?

   _____

MOSAICOS

A leer

4-18   Descripciones. The term **la tercera edad** (*third age*) is used in Spanish to refer to senior citizens. Think of one senior citizen you know and answer the following questions for each.

1. ¿Cuántos años tiene?

   _____

2. ¿Trabaja o está jubilado/a (*retired*)?

   _____

3. ¿Vive solo/a? ¿Vive en una casa/un asilo de ancianos?

   _____

4. ¿Tiene una vida activa o sedentaria?

   _____

5. ¿Le gusta viajar (*travel*)?

   _____

4-19   La tercera edad. First read this selection for its general meaning. Then read it again and answer the following questions.

> El Programa VACACIONES DE LA TERCERA EDAD ofrece a las personas mayores visitas a lugares de interés turístico y de clima cálido a precios reducidos. Los objetivos de este programa son los siguientes:
>
> - Contribuir al bienestar de la Tercera Edad haciendo posible que las personas mayores visiten nuevos lugares y usen su tiempo libre de una manera agradable y divertida.
>
> - Mantener y crear empleo en el sector turístico, aumentando los niveles de ocupación hotelera en épocas de menor actividad.
>
> ¿Quiénes pueden participar en el programa?
>
> Usted puede participar en este programa si ya tiene 65 años, sea o no pensionista de la Seguridad Social, o si disfruta de una pensión de jubilación, aunque no alcance esa edad. Puede además ir con un familiar o amigo/a para quien no hay límite de edad.
>
> Los menús para el desayuno, comida y cena se elaboran teniendo en consideración las necesidades alimenticias de las personas mayores y se preparan en condiciones de calidad, abundancia y calorías apropiadas. Las comidas se sirven acompañadas de vino o agua mineral.

1. ¿Cómo se llama el programa?

   _____

2. ¿A qué lugares van de vacaciones las personas mayores?

   _____

3. ¿Cuántos años deben tener las personas mayores que desean participar en el programa?

   _____

4. ¿Quién puede acompañar a la persona de la tercera edad?

   _____

5. ¿Qué comidas ofrece el programa?

   _____

6. ¿Qué factores tienen en consideración cuando preparan las comidas?

   _____

7. ¿Qué pueden beber las personas mayores con las comidas?

   _____

4-20   Asociaciones. Look at the reading again and write the adjectives that are associated with the following nouns and verbs.

1. turista _____

4. alimento _____

2. reducir _____

5. acompañar _____

3. hotel _____

A escribir

Stress and written accent

4-21   Acentos. Write the accent mark on those words that need one. Remember that some adverbs ending in **-mente** have an accent mark. If necessary, review the rules of accentuation you have studied beginning with **lección 1**.

Mario: ¿Cuando vas al cine?

Sara: La verdad es que unicamente voy al cine los fines de semana.

Mario: ¿Por que?

Sara: Porque las peliculas tienen mucha violencia y accion. Ademas, me gustan las peliculas europeas, especialmente las francesas.

Mario: ¿Tu hablas frances?

Sara: Si, un poco. Con las peliculas siempre aprendo algo.

Mario: ¡Que bien! ¿Y que haces despues de salir del cine?

Sara: Rapidamente voy a buscar mi auto, llamo a Teresa, mi mejor amiga, y nos vamos a tomar un cafe.

Mario: Definitivamente tu no eres la tipica mujer hispana.

Sara: ¿De que hablas? Dificilmente podemos hablar de una persona hispana. Todos somos un poco diferentes, ¿no?

Mario: Es verdad. Logicamente no puedo discutir tu argumento.

4-22   Primera etapa. You are happy because your friend from Colombia is going to stay with you this summer. He/She wants you to write to him/her about your family. Make a list of at least three family members you want to write about and what you want your friend to know about them. Include information such as name, age, what they are like and what they like to do. You may use what you wrote about your family in exercise 4-4.

Mi familia inmediata.

Primera etapa.

4-23   Etapa final. Write a letter describing your family to your Colombian friend. Use the information gathered in the previous exercise. Finally, let your friend know how you feel about his/her upcoming visit (For example: **Estoy (muy) contento/a con tu visita**). Use the verbs from the list or any other you wish.

llamarse	tocar	preferir	hablar
trabajar	poner	tener años	estar
poder	salir	estudiar	ser
vivir	empezar	correr	jugar

_____

_____

_____

_____

_____

_____

_____

_____

_____

_____

_____

ENFOQUE CULTURAL

4-24 Circle the answer that correctly completes each of the following statements according to the information given in the **Enfoque cultural** on pages 153 -155 of your textbook.

1. Además de usar la palabra "tíos" para referirse a los hermanos de los padres, en muchos países hispanos usan la palabra "tíos" para referirse a. . .

   a) los padrinos.   b) los buenos amigos de los padres.   c) los hijos de los padrinos.

2. En general, la familia hispana es. . .

   a) nuclear.   b) grande y unida.   c) pequeña.

3. La arquitectura del barrio de la Candelaria en Bogotá es de tipo. . .

   a) colonial.   b) barroco.   c) precolombino.

4. El Museo del Oro tiene objetos de la época. . .

   a) medieval.   b) precolombina.   c) modernista.

5. Una ciudad colombiana que está en la costa del Caribe es. . .

   a) Bogotá.   b) Cartagena.   c) Medellín.

6. Entre la música y los bailes típicos de Colombia se encuentran el vallenato y. . .

   a) el tango.   b) la cumbia.   c) la salsa.

7. Si algo es muy difícil, los colombianos dicen que eso no es. . .

   a) una vela.   b) tener afán y camellos.   c) soplar y hacer botellas.

8. Cuando quieren pedir un favor, muchos colombianos dicen que. . .

   a) tienen afán.   b) van a poner un pereque.   c) necesitan hacer botellas.

9. Para decir que una persona tiene mucho trabajo, en Colombia es común decir que tiene. . .

   a) camello.   b) un pereque.   c) cumbia.

4-25 **¿Qué más sabe usted de Colombia?** Fill in the blanks with the correct information. If in doubt, read the section on Colombia on page 154-155 of the **Enfoque cultural.**

La capital de Colombia es (1) _____, con una población de unos (2) _____

millones de habitantes. Muy cerca de esta ciudad están las minas de sal de (3) _____.

Un dato muy curioso es que dentro de estas minas hay una de las (4) _____ más

grandes del mundo.

Lección 5

Nombre: _____

Fecha:_____

La casa y los muebles

A PRIMERA VISTA

5-1   **¿Dónde los pongo?** You are helping a friend move into a new apartment. Match the furniture, fixtures, and appliances with the appropriate part of the house.

Muebles y electrodomésticos

_____ 1. la cama

_____ 2. el sofá

_____ 3. la butaca

_____ 4. el microondas

_____ 5. el lavabo

_____ 6. la cómoda

_____ 7. la mesa de noche

_____ 8. la barbacoa

_____ 9. el refrigerador

_____ 10. el espejo

Partes de la casa

a.   la sala

b.   el comedor

c.   la cocina

d.   el dormitorio

e.   el baño

f.   la terraza

5-2 Crucigrama. Complete the crossword puzzle by answering the following clues. You will use words referring to parts of the house, furniture, or appliances.

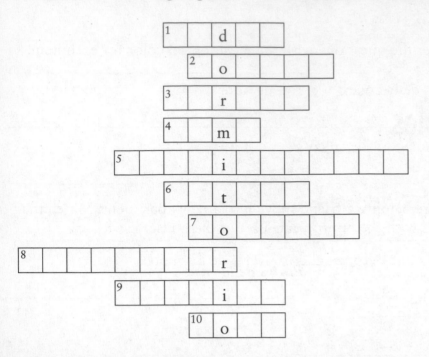

1.   Podemos escuchar programas gracias a este aparato eléctrico.
2.   Preparamos la comida en esta parte de la casa.
3.   Aquí hay plantas y los niños pueden jugar y correr.
4.   Es el mueble donde nos acostamos (*lie down*) para dormir.
5.   Es el electrodoméstico que mantiene frías las comidas.
6.   Es una silla grande y cómoda que tiene brazos (*arms*).
7.   Las personas comen en esta parte de la casa.
8.   Vemos y escuchamos programas gracias a este aparato eléctrico.
9.   Es la decoración que ponemos en las ventanas.
10. Es el mueble donde pueden sentarse (*sit down*) dos o tres personas.

5-3 La paleta de colores. You are going to paint the walls, windows, trimmings, etc. of your house, using the colors on the left. What color combinations on the right will produce the colors you have chosen?

_____ 1. verde   a. rojo y blanco

_____ 2. rosado   b. amarillo y azul

_____ 3. gris   c. rojo y amarillo

_____ 4. morado   d. negro y blanco

_____ 5. anaranjado   e. azul y rojo

5-4   ¿De qué color son? Answer the questions with the most logical color for each item.

1. ¿De qué color son las cortinas de la cocina y el refrigerador?

_____

2. ¿De qué color es la mesa del comedor de su casa?

_____

3. ¿De qué color son las plantas del jardín de su casa?

_____

4. ¿De qué color son los elefantes que decoran el dormitorio de los niños?

_____

5. ¿De qué color es la casa de usted?

_____

5-5   ¿Qué debe hacer usted? Read each situation and then mark the most appropriate reactions to it.

1. Usted tiene un viaje muy importante mañana y quiere llevar cierta ropa. Cuando va al armario a buscar la ropa, ve que está sucia. Usted debe. . .
    a) hacer la ropa.   d) lavar la ropa.
    b) comprar la ropa.   e) secar la ropa.
    c) planchar la ropa.   f) doblar la ropa.

2. Usted quiere vender su condominio. Hoy va a venir un agente y su condominio está muy sucio y desordenado. Usted debe. . .
    a) usar el microondas.   d) poner la mesa.
    b) sacar la basura.   e) pasar la aspiradora.
    c) cocinar la cena.   f) limpiar los muebles.

3. Usted y unos amigos van a cocinar y a almorzar en el jardín de su casa esta tarde. Usted debe. . .
    a) barrer la terraza.   d) colgar la ropa fuera.
    b) limpiar la barbacoa.   e) sacar los platos.
    c) preparar la cena.   f) hacer la cama.

5-6   **Tareas domésticas.** What activities do you associate with these items?

MODELO: la mesa
           poner la mesa
           comer con mi familia. . .

1. la lavadora _____

2. la secadora _____

3. la plancha_____

4. la estufa _____

5. el refrigerador _____

6. el lavaplatos_____

7. el televisor _____

8. el radio _____

9. el periódico _____

10. la basura_____

5-7   **El desorden (*mess*).** Your roommate and you are having friends over tonight. Your apartment is a little messy, but you have to go out. Write your roommate a note telling him/her not to worry (**no te preocupes**) and what chores you will do when you return.

_____

_____

_____

_____

_____

_____

EXPLICACIÓN Y EXPANSIÓN

Síntesis gramatical

1. Present progressive

yo	estoy	
tú	estás	hablando
Ud., él, ella	está	comiendo
nosotros/as	estamos	escribiendo
vosotros/as	estáis	
Uds., ellos/as	están	

2. Expressions with *tener*

Tengo mucho calor (frío, miedo, sueño, cuidado).

Tienen mucha hambre (sed, suerte, prisa).

3. Direct object nouns and pronouns

me	*me*	
te	*you*	(familiar, singular)
lo	*you*	(formal, singular), *him, it* (masculine)
la	*you*	(formal, singular), *her, it* (feminine)
nos	*us*	
os	*you*	(familiar plural, Spain)
los	*you*	(formal & familiar, plural), them (masculine)
las	*you*	(formal & familiar, plural), *them* (feminine)

4. Demonstrative adjectives and pronouns

this	{ **esta** butaca	**este** cuadro	*these*	{ **estas** butacas	**estos** cuadros
that	{ **esa** casa	**ese** horno	*those*	{ **esas** casas	**esos** hornos
(over there)	{ **aquella** persona	**aquel** edificio	*(over there)*	**aquellas** personas	**aquellos** edificios

5. *Saber* and *conocer* (to know)

	SABER	CONOCER
yo	sé	conozco
tú	sabes	conoces
Ud., él, ella	sabe	conoce
nosotros/as	sabemos	conocemos
vosotros/as	sabéis	conocéis
Uds., ellos/as	saben	conocen

Present progressive

5-8   ¿Qué están haciendo? Based on where the following students are, choose phrases from the list to explain what they are doing right now.

leer un libro   comprar un diccionario   comer hamburguesas
ver una película   estudiar álgebra   hablar español
escribir una composición   cantar y bailar   jugar tenis
dormir   pasear y conversar   lavar los platos

MODELO: Julio y María están en la clase de inglés.
           Están escribiendo una composición.

1. Yo estoy en la librería.

   _____

2. Nosotros estamos en casa.

   _____

3. Son las dos de la mañana y Raquel está en su cuarto.

   _____

4. Estela y Ricardo están en el parque.

   _____

5. Enrique y yo estamos en la clase de español.

   _____

6. Mis amigos están en la discoteca.

   _____

7. Tú estás en la biblioteca.

   _____

8. Ana y Susana están en un restaurante pequeño.

   _____

5-9   Asociaciones. Match each situation on the left with the most appropriate action on the right.

Situación   *Acción*

_____ 1. Federico quiere hablar con su novia.   a.   Están limpiando la casa.

_____ 2. Marcia quiere alquilar un apartamento.   b.   Está leyendo el periódico.

_____ 3. La chica tiene mucha sed.   c.   Está bebiendo agua.

_____ 4. Carlos va a salir con su novia.   d.   Está llamando por teléfono.

_____ 5. Los chicos están en el jardín.   e.   Está lavando el auto.

_____ 6. Nuestros padres tienen invitados   f.   Están jugando.
              (*guests*) esta noche.

5-10   ¡A trabajar! It is Saturday morning and this family is very busy. Describe what each person is doing by changing the sentences to the present progressive.

MODELO: Julia barre la terraza.
            Julia está barriendo la terraza.

1. Mi abuela prepara el desayuno.

   _____

2. Yo pongo la mesa.

   _____

3. Mi hermana mayor hace las camas.

   _____

4. Mi mamá limpia los baños.

   _____

5. Mi abuelo lee el periódico.

   _____

6. Tomás recoge las hojas del jardín.

   _____

7. Cristinita pasea a su perro Bosco.

   _____

8. Mi padre y yo lavamos los autos.

   _____

Expressions with *tener*

5-11   ¿Qué tienen? Complete each of these sentences by circling the correct expression with **tener**.

1. María trabaja mucho y duerme muy poco. Por eso siempre. . .

   a) tiene suerte.   b) tiene sueño.   c) tiene razón.

2. Jorge juega al tenis los sábados por la tarde. Después de jugar, él toma uno o dos refrescos porque. . .

   a) tiene frío.   b) tiene miedo.   c) tiene sed.

3. Albertina y Claudia están a dieta. Sólo toman jugo y té en el desayuno y comen vegetales y frutas en el almuerzo. Son las cinco de la tarde y ellas. . .

   a) tienen hambre.   b) tienen prisa.   c) tienen calor.

4. Nosotros jugamos a la lotería y siempre perdemos. No. . .

   a) tenemos cuidado.   b) tenemos suerte.   c) tenemos razón.

5. La clase de español empieza a las ocho de la mañana. Son las ocho menos diez y yo estoy en la cafetería. Mi amigo Roberto llega y quiere hablar pero yo no puedo porque. . .

   a) tengo prisa.   b) tengo frío.   c) tengo miedo.

5-12   ¿Qué tienen que hacer? Write what each person should do in the situations described. Use **tener que** + *infinitive* in your response.

MODELO: Juan saca unas notas muy malas en la universidad. Quiere sacar
          buenas notas, pero él mira mucho la televisión, juega al golf y va
          a muchas fiestas los fines de semana.
          Juan tiene que estudiar más.

1. Ernesto está un poco gordo y quiere bajar de peso (*lose weight*). Él come una hamburguesa y papas fritas en el almuerzo y por la tarde toma un helado de chocolate. Ernesto no corre y no le gusta hacer ejercicio. Él prefiere conversar con sus amigos.

   _____

2. Elena es una muchacha norteamericana que tiene unos parientes en Managua. Ella piensa ir a Managua durante sus vacaciones y estar dos semanas con sus parientes. Sus padres y hermanos no pueden ir con ella. Es el primer viaje de Elena a Nicaragua.

   _____

3. Hay una competencia muy importante la semana próxima. Por las tardes, los atletas van al estadio de la universidad.

   _____

4. Amparo tiene un estéreo nuevo para discos compactos. Los discos que ella tiene son viejos. Sus amigos van a ir esta tarde a su casa para escuchar música.

   _____

5-13   El intérprete. You are interpreting for some of your friends who are talking to two Salvadoran students visiting your school. Translate what you and your friends want to say using the appropriate expressions with **tener.**

1. John is always very lucky.

   _____

2. The professor is not old; he is only 50 years old.

   _____

3. We are always very careful on the freeway (*autopista*).

   _____

4. It is one o'clock in the afternoon and the professors are in a hurry.

   _____

5. Who is hot and thirsty?

   _____

6. Aren't you afraid at night?

   _____

Direct object nouns and pronouns

5-14   Los regalos (*gifts*). You are planning your Christmas shopping. Referring to the items in the list and using the corresponding direct object pronoun, write what these people on your list don't have, but need.

una computadora portátil   un microondas   una aspiradora
una guitarra eléctrica   ropa muy elegante   unos discos de jazz
un estéreo   un auto nuevo   dos butacas

MODELO: una bicicleta grande
           Yo no tengo una bicicleta grande, pero la necesito.

1. Yo _____

2. Tú _____

3. Darío _____

4. Tu madre _____

5. Tú y yo _____

6. Los abuelos _____

5-15   ¿Qué pasa? Complete the paragraphs using the personal **a** when necessary. Remember that **a + el** contracts to **al**.

1. Hoy van a entrevistar _____ varios artistas españoles en la televisión.

   Nosotros queremos ver el programa para escuchar _____ Miguel Bosé.

2. Alfredo está en la biblioteca. Él busca _____ Pepe Sandoval, un compañero

   de clase, porque tienen un examen de economía mañana y van a estudiar juntos. Por fin

   ve _____ Pepe enfrente de un montón (*pile*) de libros y periódicos, pero Pepe

   no está leyendo los periódicos ni consultando los libros. Él sólo está mirando

   _____ dos famosas jugadoras de tenis que están en otra mesa.

3. La señora Silvestre quiere mucho _____ su perro Rico. Rico es un perro viejo,

   pero muy bueno. Cuida la casa y también cuida _____ los niños de la familia.

   Todas las tardes después de llegar de la oficina, el señor Silvestre saca _____

   perro. Cuando Rico ve _____ señor Sandoval, corre y salta (*jumps*) porque

   sabe que va a salir.

5-16 **¿Sí o no?** Tell whether or not you are going to do these activities, using direct object pronouns.

MODELO: planchar la ropa
Voy a plancharla. o *No voy a plancharla.*
La voy a planchar. o *No la voy a planchar.*

1. lavar el auto_____

2. secar los platos _____

3. bañar al perro _____

4. ordenar la cocina _____

5. regar las plantas _____

6. visitar a mis primas_____

5-17   **La telenovela.** Complete this phone conversation between two soap opera characters with the appropriate direct object pronouns.

PABLO: Virginia, ¿tú _____ (1) quieres mucho?

VIRGINIA: Sí, Pablo, _____ (2) quiero.

PABLO: Y yo _____ (3) extraño (*miss*) mucho. Voy a ir a tu casa ahora

porque necesito ver_____ (4).

VIRGINIA: No puedo ver_____ (5) ahora porque tengo que salir con

mamá. Tú _____ (6) comprendes (*understand*), ¿verdad?

PABLO: Sí, Virginia, _____ (7) comprendo.

Demonstrative adjectives and pronouns

5-18 En la librería. You and your friend are looking at various items in a bookstore. Write the appropriate demonstrative adjective according to each context in the spaces provided.

MODELO: Usted está al lado de un libro de arte y dice:
—*Este libro es muy interesante.*

1. Usted ve un reloj en la pared (*wall*). El dependiente está un poco lejos, pero usted va adonde está él y le pregunta:

   —¿Cuánto cuesta _____ reloj?

2. El dependiente tiene una guitarra en la mano. Usted le pregunta:

   —¿Cuánto cuesta _____ guitarra?

3. Su amiga le muestra (*shows*) unos casetes de música española y le dice:

   —_____ casetes cuestan cinco dólares.

4. Usted ve unas películas al lado de donde está su amiga y usted le dice:

   —Y _____ películas también cuestan cinco dólares.

5. Su amiga va a comprar un mapa que está junto a ella para la clase de geografía. Ella le pregunta al dependiente:

   —¿Cuánto cuesta _____ mapa?

5-19 ¿Qué es esto? You see various things in a Nicaraguan store and you want to find out what they are. Complete the following conversation with the salesman (**vendedor**) using **esto, eso** or **aquello.** (The salesman is behind the counter.)

USTED: ¿Qué es (1) _____ que está allí?

VENDEDOR: ¿ (2) _____? Es un molinillo. Lo usamos para batir el chocolate o para batir el tiste, una bebida de maíz y cacao.

USTED: ¿Y (3) _____ que está allá?

VENDEDOR: (4) _____ es un guacal. En realidad, es una calabaza (*pumpkin*) seca y la usamos para servir la comida. Y también vendemos unos pequeños que se usan para servir bebidas.

USTED: Y (5) _____ que está al lado del guacal, ¿qué es?

VENDEDOR: Es una maraca, un instrumento musical. Usamos dos, una en cada mano, y con ellas seguimos el ritmo de la música.

5-20   ¿Dónde quiere los muebles? Your Honduran neighbor bought a few things for her home. She is telling the delivery man, who also speaks Spanish, where he should place the new furniture. Complete their conversation. Use the correct form of **este** for the delivery man, and the correct form of **ese** for your neighbor.

EMPLEADO: ¿Dónde quiere (1) _____ espejo?

SRA. PAZ: En (2) _____ dormitorio.

EMPLEADO: ¿Y dónde pongo (3) _____ lámparas?

SRA. PAZ: La lámpara blanca va aquí y (4) _____ dos en la habitación pequeña.

EMPLEADO: ¿Y (5) _____ cuadros?

SRA. PAZ: ¿(6) _____ ?

EMPLEADO: Sí, (7) _____ .

SRA. PAZ: (8) _____ va detrás del sofá y (9) _____ otro en el comedor.

Saber and conocer (to know)

5-21   ¿Lo sabemos o lo conocemos? Complete each Spanish sentence with the correct form of **saber** or **conocer**.

1. Your friend is having car problems and is looking for a repair shop. You know where one is, so you say:

   — Yo _____ dónde hay un buen taller.

2. You tell your cousin that Yolanda is a very good dancer:

   — Yolanda _____ bailar muy bien.

3. Your classmate wants to meet Alberto Santa Cruz. You know Alberto, so you say:

   — Yo lo _____. Ven a mi casa esta noche y allí lo vas a _____.

4. You are talking to a friend about a hotel in his hometown with which he is not familiar. He says:

   — Yo no _____ ese hotel.

5. You tell a classmate about your best friends, who are excellent cooks. You say:

   — Ellos _____ cocinar muy bien.

6. Your friend likes to go to the movies and enjoys good acting. While you are discussing a movie, she asks:

   — ¿_____ quiénes son los actores?

5-22 **Una conversación.** Complete this conversation with the correct form of **saber** or **conocer.**

BEATRIZ: ¿(1) _____ a ese muchacho?

LAURA: Sí, se llama Humberto Salazar y es muy amigo de mi hermano. ¿Por qué?

BEATRIZ: Es muy guapo y. . .

LAURA: Lo quieres (2) _____, ¿verdad?

BEATRIZ: Sí, ¿ (3) _____ qué estudia?

LAURA: (4) _____ que estudia Ciencias Económicas y creo que vive cerca de nosotros, pero no estoy segura. Quien lo (5) _____ muy bien es mi hermano.

BEATRIZ: Mira, viene para donde estamos.

LAURA: Magnífico, así lo puedes (6) _____.

5-23   **¿Cuál es el problema?** Read the following situations and then write a summary statement for each using **saber** or **conocer.**

MODELO: María y Juan tienen unos invitados a comer en su casa, y están muy preocupados. El arroz no está bien coci- nado y el pollo no tiene sal. Deciden ir a comer fuera con sus invitados. *María y Juan no saben cocinar.*

1. Pedro y Héctor están lavando la ropa blanca con unas cortinas rojas. Ya no tienen ropa blanca, ¡toda está rosada!

_____

2. En la fiesta todos los estudiantes están bailando, excepto Humberto, que está solo.

_____

3. Son las once de la noche y un hombre toca a la puerta de la casa de Mariví. Ella mira por la ventana, pero no abre la puerta.

_____

4. John Foster entra en un restaurante de Santa Ana, una ciudad de El Salvador. Él pide agua y algo de comer, pero el camarero no entiende lo que dice.

_____

5. Tus tíos están en Nueva York. Ellos tienen un mapa pero están perdidos (*lost*).

_____

ALGO MÁS: More on adjectives

5-24 **Números ordinales.** Match the cardinal numbers on the left with the ordinal numbers on the right.

_____ 1. uno   a. quinto

_____ 2. dos   b. noveno

_____ 3. tres   c. segundo

_____ 4. cuatro   d. décimo

_____ 5. cinco   e. primero

_____ 6. seis   f. octavo

_____ 7. siete   g. sexto

_____ 8. ocho   h. cuarto

_____ 9. nueve   i. séptimo

_____ 10. diez   j. tercero

5-25 **Más adjetivos.** Answer these questions in complete sentences.

1. ¿Quién fue (*was*) George Washington?

   _____

2. ¿Cuándo es el día de Año Nuevo?

   _____

3. En la clase de español, ¿quién es el segundo estudiante de su fila (*row*)? ¿Y el quinto?

   _____

4. En general, ¿en qué grado (*grade*) están los estudiantes cuando tienen 12 años? ¿15 años? ¿10 años?

   _____

5. ¿Quién es un buen jugador de básquetbol?

   _____

6. ¿Quién es un/a gran cantante de música rock?

   _____

MOSAICOS

A leer

5-26   **¿Necesita dinero?** This ad encourages people to apply for a loan (*préstamo*). Read it and then complete each statement, based on the information in the ad.

¿Qué necesita con urgencia?

Una computadora potente, una casa, muebles nuevos para su casa, un jacuzzi para su baño, unas vacaciones, pagar los estudios universitarios de sus hijos...

¿Cuánto necesita? La cantidad no es un problema. Podemos darle una línea de crédito de hasta 5 millones de lempiras. ¡Crédito inmediato! Evite los formularios complicados y difíciles de rellenar. La aceptación de su préstamo sólo requiere su firma.

¿Cómo desea pagar? La forma de pago tampoco es un problema: Usted puede pagar el crédito entre uno y cinco años, en cómodos pagos mensuales.

En Bancrédito tenemos la solución para usted. Nosotros podemos hacer realidad sus sueños. Bancrédito, su banco amigo.

Bancrédito

1. Cuando necesita dinero, usted puede ir a _____.

2. Usted puede solicitar crédito para comprar _____, _____,

    _____, _____ o _____.

3. El crédito puede ser por un máximo de _____ de _____.

4. Usted puede pagar el crédito en _____ o, como máximo, en _____.

5. El único requisito es _____ cuando solicita el préstamo.

5-27   Primera exploración. Read the following brochure and find the following information.

La limpieza de su casa: ¿un placer o una tortura?

Indudablemente, limpiar la casa puede ser algo agradable o desagradable, dependiendo de cuánto sabe usted sobre limpieza y de cómo lo hace. A continuación le damos algunas recomendaciones sobre cómo hacer de la limpieza de la casa una tarea colectiva fácil y placentera.

Busque alegría en todo lo que hace, incluso en la limpieza.

- Limpie su casa al ritmo de su música predilecta. La música da energía y, como resultado, usted va a hacer su trabajo con alegría. También puede perder esas libras indeseables. Muévase alrededor de la casa, siguiendo el ritmo de salsa, cumbia, mambo, disco, etc.

Planifique la limpieza de su casa:

- Determine cuándo desea limpiar. Los fines de semana son fantásticos porque toda la familia está en casa y puede ayudarlo/la con la limpieza.

- Decida quién va a limpiar qué. Todos los miembros de la familia pueden colaborar. Los más pequeños pueden sacar la basura de los baños, colgar su ropa en los armarios, etc. Los mayores pueden barrer, pasar la aspiradora, recoger la ropa sucia del piso y lavarla, regar las plantas interiores, etc. Recuerde que la limpieza de la casa debe ser un trabajo colectivo, no individual.

- Limpie cuarto por cuarto. Es recomendable comenzar con las habitaciones más difíciles de limpiar, tales como los baños, la cocina, los cuartos de los niños, etc. Al comienzo, todos tienen más energía; al final de la limpieza, cuando todos están fatigados, la calidad del trabajo no es óptima. Los cuartos que se limpian al final pueden no quedar muy limpios.

Prepare los productos de limpieza que va a usar:

- Compre limpiacristales, fregapisos, sacabrillo, mataolores[1], etc.
- Prepare la aspiradora, las bolsas de basura, las esponjas, etc.

[1]*air freshener*

1. Indique tres factores que una persona debe considerar cuando desea limpiar la casa.

_____

2. Según el panfleto, ¿cuándo es mejor limpiar la casa? ¿Por qué?

_____

3. Indique dos quehaceres que pueden hacer los niños para ayudar con la limpieza de la casa.

_____

4. ¿Por qué es mejor limpiar el baño, la cocina, los cuartos de los niños antes (*before*) que las otras habitaciones?

_____

5. Indique el/los producto(s) que se asocian con la limpieza. . .

   a. de las ventanas de la casa: _____

   b. del baño: _____

   c. de los muebles: _____

6. ¿Quién hace la limpieza en su casa?

_____

5-28   Segunda exploración. Write down the verb(s) associated with each of the following compound words.

1. limpiacristales: _____

2. fregapisos: _____

3. sacabrillo: _____

4. mataolores: _____

5-29   Tercera exploración. With what nouns in the text above do you associate these verbs?

1. Limpiar: _____

2. Recomendar: _____

3. Alegrar: _____

A escribir

5-30   **Acentos.** Read the following conversations and write the accent mark over the words that need it.

Conversación 1

Alicia:	¿Te gusta el te?
Berta:	Si, me gusta mucho.
Alicia:	Si quieres lo preparo ahora.
Berta:	No, gracias. Un poco mas tarde. Almorce hace una hora.
Alicia:	Y tu, Marta. ¿Prefieres te o cafe?
Marta:	Gracias, pero ahora no.
Alicia:	Tu y tu hermana son iguales. Pero estoy segura que Pedro es diferente.
Marta:	Si, mi hermano es diferente, siempre quiere comer o beber algo. Mi mama dice que cuando le preguntan si quiere tomar algo, el contesta inmediatamente: "Para mi, un chocolate y unas tostadas".

Conversación 2

Mauricio:	¿Quien esta ayudando a mama en la cocina?
Gloria:	Pablo esta ayudandola.
Mauricio:	¿Cuantas pizzas van a hacer?
Gloria:	Creo que cinco. Estan preparandolas rapidamente porque nuestros amigos van a llegar dentro de 45 minutos.
Mauricio:	¿Que les estan poniendo?
Gloria:	Estan poniendoles verduras. ¡Que delicioso!
Mauricio:	¿Crees que a los chicos les van a gustar las pizzas vegetarianas?
Gloria:	Seguro que si. Mama esta haciendoles un favor. No quiere que suban de peso, y las pizzas vegetarianas son mucho mas sanas.

5-31   Un plano. Draw a floor plan of your parents' house or apartment with the furniture in it.

```


```

5-32   El/La decorador/a en la familia. Preparación. You are a student at *La elegancia* Institute of Design in Tegucigalpa, Honduras. After a few months of study, you would like to offer your parents some recommendations to remodel/redecorate their house to make it more elegant. Write down some ideas as follows. In one column, write down the areas that need improvement; in the other, a sketchy list of your suggested changes.

Vocabulario útil

La entrada	*entrance*	La pintura	*paint*
La salida	*exit*	Las puertas anticuadas/en mal estado	
La luz (*light*) natural/artificial		Las ventanas viejas/rotas (*broken*)	
La pared		La posición de los muebles	
El pasillo		Hay poco/mucho espacio entre. . . y. . .	
Necesitan más/menos. . .		Suprimir (*take away*)	

Los problemas con la casa   *Mis sugerencias*

_____   _____

_____   _____

_____   _____

_____   _____

_____   _____

5-33   La decoración. Now, write a letter to your parents explaining how they can make their house look bigger, more elegant, and beautiful. Remember to be very explicit so that your parents may follow your suggestions and improve the house.

Querid_____ :

_____

_____

_____

_____

_____

_____

_____

_____

_____

_____

_____

_____

Un abrazo para ambos,
Su hijo/a,

ENFOQUE CULTURAL

5-34 Indicate if the following statements are true (**cierto**) or false (**falso**) by writing **C** or **F** in the spaces provided, according to the information given in the **Enfoque cultural** on pages 189-191.

1. _____ Las viviendas en los países hispanos son todas muy similares.

2. _____ A los hispanos en general les gusta vivir lejos de la ciudad.

3. _____ En muchos países hispanos es más común tener servicio doméstico que en los Estados Unidos.

4. _____ Nicaragua es conocida por sus lagos y volcanes.

5. _____ La capital de Nicaragua es Managua.

6. _____ El Parque *El Imposible* es un bosque tropical de El Salvador con muchas variedades de árboles y de animales.

7. _____ El lago Nicaragua es el más grande de América Central.

8. _____ La capital de Honduras es Tegucigalpa.

9. _____ En El Salvador, un sinónimo de la palabra niño es cipote.

10. _____ En Nicaragua usan la palabra chavalo para decir que una persona es fuerte.

Lección 6

La ropa y las tiendas

A PRIMERA VISTA

6-1   Asociaciones. Match the articles of clothing that normally go together.

_____ 1. abrigo   a. falda

_____ 2. camisa   b. bufanda

_____ 3. medias   c. corbata

_____ 4. zapatos tenis   d. zapatos

_____ 5. blusa   e. sudadera

6-2   La ropa y los lugares. What clothing articles would each person wear to the places named?

MODELO: Alicia está en Disneylandia.
          Alicia lleva zapatos tenis, pantalones cortos y una camiseta.

1. Mi hermana está en un restaurante muy elegante.

_____

2. José y Amparo van a un concierto de música clásica.

_____

3. Yo estoy en la universidad.

_____

4. Pedro Álvarez está en el Polo Norte.

_____

5. Mis amigos visitan una isla venezolana.

_____

6-3   **En el almacén.** What would you say to the salesperson in a store in each of the following situations?

1. You are trying on a pair of jeans but they are too big.
   a) Me quedan bien.
   b) Quisiera una talla más pequeña.
   c) Son muy cómodos.

2. You bought a blouse yesterday but now you decide that you don't like the material.
   a) Me queda grande.
   b) Quisiera cambiarla.
   c) Me gusta mucho el color.

3. You would like to try on a suit.
   a) Quisiera cambiar este traje.
   b) Quisiera probarme este traje.
   c) Quisiera comprar este traje.

4. You are looking for a long cotton skirt.
   a) Quisiera una falda corta de seda.
   b) Necesito una falda larga de lana.
   c) Busco una falda larga de algodón.

5. You want to pay cash.
   a) Voy a pagar con cheque.
   b) Voy a usar una tarjeta de crédito.
   c) Voy a pagar en efectivo.

EXPLICACIÓN Y EXPANSIÓN

Síntesis gramatical

1. Preterit tense of regular verbs

	HABLAR	COMER	VIVIR
yo	hablé	comí	viví
tú	hablaste	comiste	viviste
Ud., él, ella	habló	comió	vivió
nosotros/as	hablamos	comimos	vivimos
vosotros/as	hablasteis	comisteis	vivisteis
Uds., ellos/as	hablaron	comieron	vivieron

2. Preterit of *ir* and *ser*

yo	fui	nosotros/as	fuimos
tú	fuiste	vosotros/as	fuisteis
Ud., él, ella	fue	Uds., ellos/as	fueron

3. Indirect object nouns and pronouns

me	*to or for me*	nos	*to or for us*
te	*to or for you (fam.)*	os	*to or for you (fam. in Spain)*
le	*to or for you (formal), him, her, it*	les	*to or for you (formal & familiar) them*

4. The verb *dar*

	PRESENT	PRETERIT
yo	doy	di
tú	das	diste
Ud., él, ella	da	dio
nosotros/as	damos	dimos
vosotros/as	dais	disteis
Uds., ellos, ellas	dan	dieron

5. *Gustar* and similar verbs

Indirect object pronoun + gusta/gustó + *singular noun/pronoun*

Indirect object pronoun + gustan/gustaron + *plural noun/pronoun*

Preterit tense of regular verbs

6-4   ¿Qué hicieron estas personas? Circle the most logical completion for each situation.

1. En un restaurante de Maracaibo, Sara y Mauro. . .
    a) vieron un programa de televisión.
    b) se despertaron a las siete.
    c) pagaron 30.000 bolívares por una cena deliciosa.

2. Después de un día de mucha actividad, Manuel. . .
    a) volvió a su cuarto en el hotel para descansar.
    b) desayunó con sus padres en una cafetería.
    c) corrió en el estadio por la mañana.

3. Antes de (*before*) visitar Venezuela, yo. . .
    a) limpié los cuartos perfectamente.
    b) estudié un mapa del país con mucho cuidado.
    c) tendí la ropa en el jardín.

4. Ayer en la playa, nosotros. . .
    a) lavamos las frutas y los vegetales.
    b) nadamos con unos amigos.
    c) fuimos de compras al centro.

5. Anoche tú saliste para. . .
    a) ir a una actividad cultural.
    b) poner la mesa.
    c) almorzar con tus compañeros.

6. Ayer, en la librería, ustedes. . .
    a) tomaron unos refrescos.
    b) compraron unos cuadernos y lápices.
    c) corrieron y jugaron con el dependiente.

6-5   Un día en la isla Margarita. Last month you and some friends were in **Margarita,** an island near the north coast of Venezuela. Using the following clues, write about what you did.

MODELO: yo / caminar por la playa al mediodía.
Yo caminé por la playa al mediodía.

1. nosotros / llegar al hotel por la mañana

_____

2. Alicia y Carmen / comprar unos trajes de baño en la tienda del hotel

_____

3. Diego / beber un refresco en el bar El Caribe

_____

4. tú y yo / comer pescado en un restaurante al lado de la playa

_____

5. las chicas / tomar el sol y nadar en la playa

_____

6. tú / bailar hasta la una de la mañana en una discoteca

_____

6-6   Una fiesta. Write about what you and your friends did at a party last week. Combine elements from the chart, and add other phrases of your own.

PERSONAS	ACTIVIDADES	OBJETO, HORA
Yo	preparar	toda la noche
Rosario y yo	llegar	un arroz con pollo
Elena y Raúl	bailar	a la una
Pablo y yo	beber	los platos
Magdalena	lavar	a las ocho
Nosotros	volver a casa	vino blanco

MODELO: *En la fiesta yo bailé toda la noche.*

1. _____

2. _____

3. _____

4. _____

5. _____

6. _____

Preterit of *ir* and *ser*

6-7   ¿Ir o ser? Which verb is being used? Let the context of each sentence help you decide which verb to choose: **ir** or **ser**.

_____ 1. ¿Qué día fue ayer?

_____ 2. Las chicas fueron al centro comercial.

_____ 3. Yo fui a Canaima el año pasado.

_____ 4. Simón Bolívar fue un gran patriota.

_____ 5. Tú fuiste a todos los conciertos en la primavera.

_____ 6. Javier y yo fuimos dependientes en una tienda para turistas durante el verano.

6-8   Un viaje a Venezuela. Last year you joined a group of environmentalists who visited Venezuela. Finish the story by writing the correct preterit form of the verbs **ir** or **ser** in the blanks.

El año pasado nuestro grupo (1) _____ a Venezuela para visitar Caracas y el Parque Nacional Canaima. Primero, nosotros (2) _____ a Caracas y visitamos la casa donde nació (*was born*) Simón Bolívar. La visita (3) _____ muy interesante. Mario Infante, uno de los miembros del grupo, es venezolano y (4) _____ nuestro guía. Después nosotros (5) _____ al Parque Nacional Canaima y nos gustó mucho, pero el momento espectacular de la excursión (6) _____ cuando vimos el Salto del Ángel, las cataratas más altas del mundo.

Indirect object nouns and pronouns

6-9   Ayudando a una amiga. Your friend Magdalena is not feeling well. Write down the chores you are doing for her. Use indirect object pronouns.

MODELO: lavar la ropa
           Yo le lavo la ropa.

1. barrer la casa _____

2. tender la ropa _____

3. preparar la comida _____

4. limpiar los muebles _____

5. pasar la aspiradora _____

6-10   **El cumpleaños de Rosita.** You are in charge of organizing Rosita's birthday party. You are checking with your friends to make sure that each is responsible for a chore. Write down their answers.

MODELO: ¿Me vas a lavar los platos?
Sí, te voy a lavar los platos.

1. ¿Me vas a servir los refrescos?

_____

2. ¿Nos vas a preparar las papas fritas y el queso?

_____

3. ¿Le vas a comprar el regalo a Rosita?

_____

4. ¿Les vas a pedir los casetes a Lina y a Pepe?

_____

5. ¿Me vas a escribir las invitaciones?

_____

The verb *dar*

6-11   **Un programa de televisión.** You and some friends are in charge of the costumes for a TV program. What clothing would you and your friends give these actors for their roles?

MODELO: Pedro / un ejecutivo (*executive*)
Le damos un traje azul, una camisa de rayas, una corbata roja y unos
zapatos negros.

1. Yo / una cantante de rock para un concierto

_____

2. María / unas señoras mayores para un almuerzo

_____

3. Pedro y yo / unos niños para jugar en el parque

_____

4. Tú / unos estudiantes para una fiesta informal

_____

5. Álvaro / un camarero de un restaurante elegante

_____

6-12   La graduación. Carmita wants to know what your family gave your sister Susana for her graduation. Answer her questions by completing the sentences with a form of the verb **dar.**

CARMITA: La semana pasada fue la graduación de Susana. ¿Qué regalos le

(1) _____ustedes?

USTED: Mi hermana Diana le (2) _____ una billetera y su novio

Gustavo le (3) _____ una pulsera. Mamá y papá le

(4) _____ un collar y unos aretes. Yo le (5) _____

un libro y un bolígrafo. Y tú, ¿qué le (6) _____?

CARMITA: Le (7)_____ una blusa.

Gustar and similar verbs

6-13   **De compras.** Some friends went shopping and are talking about it. Circle the verb that best completes what they are saying.

BERTA: Me (gustó / gustaron) mucho el nuevo centro comercial.

ANITA: A nosotras también. Además, nos (gustó / gustaron) los trajes que vimos en el almacén La Moda.

HILDA: Y a Rita le (pareció / parecieron) muy bonitos también.

BERTA: Sí, pero también le (cayó / cayeron) mal la dependienta.

ANITA: ¡Ay, Berta! Tú sabes cómo es Rita. A ella sólo le (interesa / interesan) las boutiques elegantes con dependientas muy finas.

HILDA: Bueno, pero le (encantó / encantaron) ir de compras con nosotras. Dice que quiere ir otra vez.

6-14   **Me gusta o no me gusta.** Tell your new friend what you like and dislike.

MODELO: la ropa informal
           Me gusta la ropa informal. o
           No me gusta la ropa informal.

1. la playa_____

2. los pantalones vaqueros _____

3. las sandalias_____

4. esa tienda _____

5. los aretes_____

6-15   **A ellos y a mí.** Complete the following survey giving your preferences and those of your classmates.

1. ¿Qué te gusta más, ir al cine o mirar televisión?

    _____

    ¿Y a tus compañeros/as?

    _____

2. ¿Qué te gustan más, las películas cómicas o las dramáticas?

    _____

    ¿Y a tus compañeros/as?

    _____

3. ¿Qué te interesa más, visitar México o Venezuela?

    _____

    ¿Y a tus compañeros/as?

    _____

4. ¿Qué te parecen más interesantes, los programas de noticias o las telenovelas?

    _____

    ¿Y a tus compañeros/as?

    _____

ALGO MÁS: Some uses of *por* and *para*

6-16   **¿Por o porque?** Underline the word **por** or **porque** to complete each sentence.

MODELOS: Mónica está contenta (<u>por</u>, porque) el regalo de su novio.
Mónica está contenta (por, <u>porque</u>) su novio le dio un regalo.

1. Julia fue a las tiendas (por, porque) las rebajas.

Julia fue a las tiendas (por, porque) tenían unas rebajas muy buenas.

2. Ella no compró la blusa (por, porque) no le gustaba el color.

Ella no compró la blusa (por, porque) el color.

3. Agustín está nervioso (por, porque) tiene un examen.

Agustín está nervioso (por, porque) el examen.

4. Su padre le regaló una bicicleta (por, porque) sus buenas notas.

Su padre le regaló una bicicleta (por, porque) sacó buenas notas.

6-17   **¿Por, porque o para?** Write a sentence using **por**, **porque** or **para** according to the intention of the speaker.

MODELO: Este vestido es / mi hermana (to give to her)
Este vestido es para mi hermana.
Le regalo el vestido / sus buenas notas (because of her good grades)
Le regalo el vestido por sus buenas notas.
Le regalo el vestido / sus notas son muy buenas (because her grades are good)
Le regalo el vestido porque sus notas son muy buenas.

1. Venezuela es muy importante en la economía mundial / el petróleo. (reason)

_____

2. Mañana dos de mis compañeros salen / Venezuela. (destination)

_____

3. Van a traer regalos / la clase. (to give to their classmates)

_____

4. Yo no puedo ir / no tengo dinero. (reason)

_____

5. Yo le pedí un libro / mi clase de literatura. (to be used for that class)

_____

MOSAICOS

A leer

6-18   **Ropa y accesorios.** Fill in the chart based on what clothes and accessories you would wear for each of the following activities.

LUGAR Y ACTIVIDAD	ROPA	ACCESORIOS
1. Para estudiar en la biblioteca		
2. Fiesta en la universidad		
3. Entrevista para un trabajo		
4. Celebración en familia del 4 de julio		
5. Un día en la playa		

6-19   **Por la noche.** Read the ad on page 113 for evening accessories and then complete the following activities.

Cierto o falso
Based on the information in the ad, indicate whether each statement is true (**cierto**) or false (**falso**) by writing **C** or **F** in the spaces below.

1. _____   Los accesorios son poco variados.

2. _____   Si una mujer desea ser elegante debe usar accesorios.

3. _____   Un collar de perlas o de fantasía puede causar una buena impresión en las

    personas que lo ven.

4. _____   En una fiesta de la oficina conviene llevar menos accesorios.

5. _____   Un vestido de lentejuelas es un accesorio.

MODA

En general, tienen diversas formas y colores y son de una gran variedad de materiales. Pero indudablemente son imprescindibles. Pueden ser exóticos, simples, elegantes. Son definitivamente nuestros amigos inseparables: los accesorios. ¡Un complemento obligatorio para la mujer que desea verse elegante e interesante!

Son ideales para todo tipo de vestuario y pueden transformar a una mujer sencilla en el centro de atención de un evento social. Un vestido sencillo, pero elegante, un par de aretes grandes o pequeños, un collar

MODA

de hermosas perlas cultivadas o de fantasía fina y una pulsera del mismo estilo pueden causar una impresión inolvidable entre los invitados.

Pero, ¡cuidado! Cada pequeña o gran transformación femenina debe ir acompañada del accesorio adecuado para la ocasión.

No se olvide que el grado de formalidad del evento determina la ropa y los accesorios que debemos usar. Probablemente para una fiesta en la oficina es recomendable hacer cambios menos notorios: llevar un lápiz labial más fuerte, unos aretes diferentes a los que usamos diariamente o unos zapatos de tacones más altos. Una invitación a un picnic, por otro lado, va a exigir ropa informal y menos accesorios.

Pero para una fiesta de Navidad o de Año Nuevo, debemos abrir las puertas de nuestro armario: es la hora de lucir bolsas elegantes y de ponerse vestidos de lentejuelas brillantes, pantalones y trajes finos, zapatos de moda y, por supuesto, accesorios extravagantes e irresistibles, acompañados de un toque de maquillaje exótico.

Para completar

Choose the best answer based on the information in the ad.

1. Los accesorios son. . .
   a) grandes.
   b) indispensables.
   c) insignificantes.

2. Según el anuncio, en una ocasión más formal es bueno. . .
   a) llevar la misma ropa que llevamos diariamente.
   b) usar algo bastante exótico.
   c) cambiar un poco la ropa y los accesorios que nos ponemos.

3. Para ir a un picnic, por ejemplo, una mujer puede ponerse. . .
   a) zapatos con tacón alto.
   b) vaqueros.
   c) un vestido con lentejuelas.

4. Para las fiestas de fin de año, las mujeres deben. . .
   a) usar ropa menos extravagante.
   b) revisar sus closets y sacar la ropa vieja.
   c) ponerse ropa más elegante y formal, acompañada de accesorios apropiados.

5. Los accesorios más adecuados para una ocasión formal son:
   a) Un collar de perlas cultivadas y unos aretes muy pequeños.
   b) Un collar de perlas de fantasía y una pulsera del mismo estilo.
   c) Unos pantalones negros y zapatos del mismo color.

6-20   **El vestuario apropiado.** Look at the ad again and identify the three types of social situations that people in the ad may attend. Then indicate which of the following people is most appropriately dressed for the occasion.

1. _____ María José lleva un vestido negro, zapatos de tacón alto, aretes de oro con pequeñas perlas y un collar de perlas cultivadas. Está maquillada y tiene los labios pintados de un color suave, pero muy seductor.

2. _____ Pablo lleva un traje gris oscuro y una corbata multicolor. Tiene un arete y un reloj pulsera de oro. En el bolsillo de su chaqueta se ve un pañuelo que combina con la corbata.

3. _____ Raquel lleva un suéter color café claro, unos jeans y unas botas de cuero. En una oreja tiene un arete en forma de un pequeño sol y en la otra un arete en forma de una pequeña luna. Está ligeramente maquillada con un poco de tinte en las pestañas (*eyelashes*).

_____

_____

A escribir

6-21   La moda no incomoda. Rosana and Felipe are worried about a careless friend of theirs who has received an invitation to attend a formal reception for foreign students on campus. Read the conversation and write the accent mark over the words that need it.

Rosana: ¿Que me dices, Felipe? Raul va a ir a la recepcion de los alumnos extranjeros en el Club de Golf de la universidad el sabado.

Felipe: ¡Que fabuloso! Me gustaria ir tambien, pero a mi no me invitaron.

Rosana: Seguramente te van a llamar en algun momento. A proposito, este fin de semana va a hacer frio, ¿sabes que se va a poner Raul?

Felipe: Ni idea. Pero no te preocupes. El viene de un pais donde la gente sabe vestirse bien. Recuerda que Venezuela tiene muy buenos diseñadores.

Rosana: Pero tu sabes que a Raul no le interesa ni le preocupa la ropa. En su cuarto, tiene un baul (*trunk*) de ropa repleto de libros.

Felipe: Ahora que mencionas los libros, Raul y yo vamos a estudiar geologia en la biblioteca esta noche. Voy a preguntarle y luego te cuento, ¿vale?

6-22   Una experiencia inolvidable. It is graduation time and a reporter for the campus newspaper is interviewing you about the most memorable experience (positive or negative) you had during your school years. Answer her questions in detail and add any other information that could help develop the story.

1. ¿Cuándo le ocurrió a usted esta experiencia? ¿En qué semestre? ¿En qué año?

    _____

    _____

2. ¿Ocurrió durante el período de clases o durante las vacaciones? ¿Dónde ocurrió? ¿En qué circunstancias? ¿Quién(es) estuvo/estuvieron presente(s) en la experiencia?

    _____

    _____

3. ¿Qué le(s) pasó (*happened*) primero? ¿Luego? ¿Finalmente?

    _____

    _____

4. ¿Qué hizo usted? ¿Qué hizo/hicieron la(s) otra(s) persona(s)?

_____

_____

5. ¿Cómo terminó la experiencia? ¿Aprendió usted algo de esta experiencia?

_____

_____

6-23   El escritor. Now that you have recalled the details of your most memorable college experience, assume the role of the reporter and write an article for the newspaper about your experience.

_____

_____

_____

_____

_____

_____

_____

_____

_____

_____

_____

_____

_____

_____

ENFOQUE CULTURAL

6-24   Indicate if the following statements are true (**cierto**) or false (**falso**) by writing **C** or **F** in the spaces provided, according to the information given in the **Enfoque cultural** on pages 222-223.

1. _____ En los países hispanos no se hacen compras por la Internet.

2. _____ En las grandes ciudades hispanas hay centros comerciales que ofrecen muchos productos y servicios.

3. _____ Es común regatear en los centros comerciales hispanos.

4. _____ En los centros comerciales hispanos se puede pagar en efectivo o con tarjeta de crédito.

5. _____ En los mercados al aire libre se ofrecen muchos productos diferentes.

6. _____ Los precios son fijos en estos mercados y las personas no regatean.

7. _____ En los mercados, las personas pueden cambiar o devolver sus compras con facilidad.

8. _____ Los precios en los centros comerciales son más altos que en los mercados.

9. _____ Entre los recursos naturales de Venezuela, el petróleo ocupa un lugar muy importante.

10. _____ Para decir que no tienen dinero, los venezolanos usan la expresión "no tengo ni una locha".

6-25   **¿Qué más sabe usted de Venezuela?** Fill in the blanks with the correct information. If in doubt, read the section on Venezuela on page 223 of the **Enfoque cultural**.

La capital de Venezuela es (1) _____. Está situada al norte del país y, en general,

su arquitectura es muy (2) _____. La segunda ciudad en importancia de

Venezuela es (3) _____, situada a orillas del lago que tiene su mismo nombre. En

la parte oriental del país está el Parque Nacional Canaima, y allí se encuentra el Salto del

Ángel, las (4) _____ más altas del mundo.

Lección 7

Nombre: _____

Fecha: _____

El tiempo y los deportes

A PRIMERA VISTA

7-1   Asociaciones. What sport(s) do you think of when you see these words and names?

MODELO: N.Y. Yankees   *béisbol*

1. Kobe Bryant   _____

2. Tour de France   _____

3. Tiger Woods   _____

4. New York Mets   _____

5. Wimbledon   _____

6. La Copa Mundial   _____

7-2   Los deportes. Circle the word that does not belong in each group and explain why.

1. cesto, pelota, pista

_____

2. nadar, ciclista, piscina

_____

3. jugar, correr, mirar

_____

4. palos, raqueta, red

_____

5. baloncesto, guante, bate

_____

7-3   Las estaciones. Circle the most logical completion for each sentence.

1. En el verano nosotros nadamos en. . .
    a) el mar.   b) la nieve.   c) el viento.
2. En el otoño en San Francisco hace. . .
    a) calor.   b) fresco.   c) mucho frío.
3. En el invierno muchas personas van a las montañas a. . .
    a) nadar.   b) esquiar.   c) jugar al tenis.
4. Hace mal tiempo cuando. . .
    a) hace sol.   b) está muy claro.   c) llueve.
5. En Nueva York hace mucho frío en. . .
    a) la primavera.   b) el verano.   c) el invierno.

7-4   Asociaciones. Match each drawing with the most accurate description.

a) Miguel se pone el impermeable porque llueve mucho.

b) Hace viento y por eso no vamos a jugar al golf.

c) Está nublado y parece que va a llover.

d) Hace muy buen tiempo hoy.

e) Lleva pantalones cortos porque hace mucho calor.

f) Hace mucho frío y por eso Marta no se quita los guantes.

1. _____

2. _____

3. _____

4. _____

5. _____

6. _____

EXPLICACIÓN Y EXPANSIÓN

Síntesis gramatical

1. Preterit tense of *-er* and *-ir* verbs whose stem ends in a vowel

yo	leí	nosotros/as	leímos
tú	leíste	vosotros/as	leísteis
Ud., él, ella	leyó	Uds., ellos/as	leyeron

yo	oí	nosotros/as	oímos
tú	oíste	vosotros/as	oísteis
Ud., él, ella	oyó	Uds., ellos/as	oyeron

2. Preterit tense of stem-changing -ir verbs (e → i) (o → u)

yo	preferí	nosotros/as	preferimos
tú	preferiste	vosotros/as	preferisteis
Ud., él, ella	prefirió	Uds., ellos/as	prefirieron

yo	dormí	nosotros/as	dormimos
tú	dormiste	vosotros/as	dormisteis
Ud., él, ella	durmió	Uds., ellos/as	durmieron

3. Reflexive verbs and pronouns

yo	me lavo	*I wash (myself)*
tú	te lavas	*you wash (yourself)*
Ud.	se lava	*you wash (yourself)*
él	se lava	*he washes (himself)*
ella	se lava	*she washes (herself)*
nosotros/as	nos lavamos	*we wash (ourselves)*
vosotros/asos	laváis	*you wash (yourselves)*
Uds.	se lavan	*you wash (yourselves)*
ellos/as	se lavan	*they wash (themselves)*

4. Pronouns after prepositions

After *a, de, para, sin*		After **con**	After **entre**
mí	nosotros	conmigo	tú y yo
ti	vosotros	contigo	
usted, él, ella	ustedes, ellos, ellas		

5. Some irregular preterits

INFINITIVE	NEW STEM	PRETERIT FORMS
hacer	hic-	hice, hiciste, hizo, hicimos, hicisteis, hicieron
querer	quis-	quise, quisiste, quiso, quisimos, quisisteis, quisieron
venir	vin-	vine, viniste, vino, vinimos, vinisteis, vinieron
decir	dij-	dije, dijiste, dijo, dijimos, dijisteis, dijeron
traer	traj-	traje, trajiste, trajo, trajimos, trajisteis, trajeron
traducir	traduj-	traduje, tradujiste, tradujo, tradujimos, tradujisteis, tradujeron
estar	estuv-	estuve, estuviste, estuvo, estuvimos, estuvisteis, estuvieron
tener	tuv-	tuve, tuviste, tuvo, tuvimos, tuvisteis, tuvieron
poder	pud-	pude, pudiste, pudo, pudimos, pudisteis, pudieron
poner	pus-	puse, pusiste, puso, pusimos, pusisteis, pusieron
saber	sup-	supe, supiste, supo, supimos, supisteis, supieron

Preterit tense of *-er* and *-ir* verbs whose stem ends in a vowel

7-5   El periódico y el radio. Answer the following questions about your preferences and those of your best friend, regarding newspapers and radio programs.

1. ¿Qué periódico leyó usted hoy? ¿Y su mejor amigo?

    _____

2. ¿Qué secciones leyeron (deportes / vida social / vida cultural / noticias internacionales?

    _____

3. ¿Cuándo oyó usted un programa de radio? ¿Qué programa oyó?

    _____

4. ¿Oyeron usted y su mejor amigo el mismo (*same*) programa?

    _____

Preterit tense of stem-changing *-ir* verbs (e → i) (o → u)

7-6   Celebración. Your Uruguayan friends just heard that their soccer team won the World Cup. Use the preterit of the following verbs to tell us what they did when they heard the news.

1. Rodrigo / repetir la buena noticia muchas veces

    _____

2. ellos / servir cerveza para celebrar el triunfo

    _____

3. Teresa / preferir tomar vino

    _____

4. Víctor / vestirse rápidamente con los colores del equipo

    _____

5. ellos / no dormir esa noche

    _____

7-7   Los amigos. Using the information in the following chart, tell what these people did last Saturday at the indicated times.

	JORGE	ALEJANDRA Y SUSANA
Por la mañana	Bañarse a las 7:00	Dormir hasta las 9:00
	Tomar un café	Servirle cereal a su hermanito
	Leer el periódico	Beber un vaso de leche
Por la tarde	Preferir estudiar en la biblioteca	Almorzar en el centro
		Oír un CD en el auto
	Volver a casa a las 6:30 p.m.	Jugar al tenis
Por la noche	Vestirse rápidamente	Pedir una pizza
	Salir a cenar	Bañarse a las 10:00 p.m.
	Acostarse tarde	Leer una novela

MODELO: *Por la mañana Jorge se bañó a las siete y después tomó*
          un café y leyó el periódico.

1. Por la mañana Alejandra y Susana.

   _____

2. Por la tarde Jorge

   _____

3. Por la tarde las muchachas

   _____

4. Por la noche Jorge

   _____

5. Por la noche las chicas

   _____

Reflexive verbs

7-8   El día de Maribel. Complete these sentences about some of Maribel's daily activities. Choose the most appropriate verb to complete each one.

vestirse	despertarse	ponerse	lavarse
secarse	acostarse	bañarse	maquillarse

1. Son las siete de la mañana, suena el despertador (*the alarm clock rings*) y Maribel

    _____.

2. Ella apaga (*turns off*) el despertador y va al baño para _____ los dientes y

    _____.

3. Después de bañarse, Maribel _____ y _____.

4. Antes de desayunar, ella _____.

5. Maribel tiene clases en la universidad por la mañana. Por la tarde, estudia con su amiga

    Luz María. Por la noche vuelve a su casa para cenar con sus padres. Después de ver

    televisión, ella va a su cuarto y lee un rato (*a while*), pero tiene mucho sueño. Va al baño,

    _____ el camisón y después _____.

7-9   En Punta del Este. You and a friend are spending a week in Punta del Este, a famous resort in Uruguay. Answer these questions about your stay.

1. ¿A qué hora se van para la playa?

    _____

2. ¿Está el hotel cerca o lejos de la playa?

    _____

3. ¿Se ponen ustedes ropa informal para estar en el hotel?

    _____

4. ¿Se acuestan muy tarde por la noche?

    _____

5. ¿A qué hora se levantan?

    _____

Pronouns after prepositions

7-10   **Los regalos de Navidad.** A friend is helping you wrap Christmas presents. Answer her questions using a pronoun, according to the model.

MODELO: ¿Esta raqueta es para Laura o para Rafael?
   Es para él.

1. ¿Este regalo es para Pedro o para Carlos y Lucía?

   _____

2. ¿Este suéter es el regalo de Alejandro o de Carolina?

   _____

3. ¿Este libro es para tu mamá o para tus tías?

   _____

4. ¿Este disco es para tus sobrinos o para tus primas?

   _____

5. ¿Estas pelotas de tenis son para tu hermana o para tu papá?

   _____

7-11   **Crucigrama.** Use prepositions and pronouns to solve the crossword puzzle.

Horizontales

1.   Catalina y yo vamos al cine. Ella va _____.
3.   A Ramón no le gusta estudiar solo, por eso estudia
   _____ Carlota.
4.   Josefina tiene problemas con su auto. Yo la voy a buscar
   para ir al partido de fútbol. Ella no puede ir
   al estadio _____ mí.
5.   A _____ me gusta el helado de vainilla.
6.   Compré estos discos de Plácido Domingo
   para _____.
7.   Juanito quiere ir al cine con sus hermanos. Él no quiere
   ver la película _____ ellos.

Verticales

1.   Como te sientes mal, prefiero ir al médico _____.
2.   Julio y yo vamos a buscar a Federico y a Anita para ver una película. Ellos van a ir al cine
   con_____.

Some irregular preterits

7-12   Un día en Punta del Este. Tell some friends back home about your schedule for one day in Punta del Este using the preterit.

Por la mañana después del desayuno, (1) _____ (ponerse) el traje de baño y

(2)_____ (ir) a la playa. Allí (3) _____ (hacer) *windsurfing* y

(4)_____ (descansar) un rato en la arena (*sand*). Entre una cosa y otra,

(5)_____ (estar) unas tres horas en la playa. Después (6)_____

(volver) al hotel, (7)_____ (bañarse) y (8)_____ (vestirse) para

almorzar. Yo (9)_____ (querer) volver a la playa por la tarde, pero no

(10)_____ (poder) porque llovió todo el tiempo.

7-13   Descubriendo Uruguay. Complete the description with the appropriate preterit form of each verb.

estar	tener	poder	ponerse
ir	tomar	visitar	ver

Nuestra familia fue a Uruguay el año pasado. Nosotros (1)_____ en avión y

(2)_____ una semana allí. El primer día en Montevideo (3)_____ la

Ciudad Vieja y también la Puerta de la Ciudadela, que conecta el centro de Montevideo con

la Ciudad Vieja. Fue un paseo muy interesante. El segundo día, (4)_____ un taxi

para ir al Mercado del Puerto. Nos encantó, pues es un lugar muy divertido y un poco

bohemio. Hay muchos restaurantes y (5)_____ a músicos y artistas en la calle.

También fuimos al edificio donde están los Museos del Gaucho y de la Moneda, dos museos

muy interesantes. No (6)_____ tiempo de ver todo lo que tienen en el Museo del

Gaucho y no (7)_____ visitar el Museo de la Moneda porque era (*it was*) muy

tarde. El último día en Montevideo (8)_____ ropa muy informal para ir a Punta

del Este y descansar el resto de la semana en la playa.

7-14 **¿Qué hice?** Describe what you did last Sunday. You may talk about work, studies, sports, leisure activities, etc. You may use the verbs in the list or think of your own.

hacer	salir	decir	mirar	estar	tener
poder	jugar	gustar	comprar	trabajar	ir

El domingo por la mañana. . .

1. _____

2. _____

3. _____

Por la tarde. . .

4. _____

5. _____

6. _____

Por la noche. . .

7. _____

8. _____

ALGO MÁS: *Hace* meaning *ago*

7-15 **¿Cuánto tiempo hace?** Complete the following sentences using **hace** + a time expression (horas, días, semanas, meses, años) and some additional information.

MODELO: Hace seis meses que llegué a esta ciudad.

1. _____que comí_____

2. _____que dormí_____

3. _____que fui_____

4. _____que empecé a jugar _____

5. _____que visité _____

7-16   Recordando unas vacaciones. How long ago did the persons mentioned do the activities identified in each sentence? Use **hace** and the preterit form of the verb in your responses.

MODELO: Armando / esquiar en Punta del Este la semana pasada
Hace una semana que Armando esquió en Punta del Este.

1. los Martínez / ir a Montevideo el invierno pasado

   _____

2. yo / ir a una función al teatro Solís en la Ciudad Vieja el mes pasado

   _____

3. Irene y yo / visitar el Museo del Gaucho y la Moneda en 1999

   _____

4. Martín y Clara / jugar al tenis con unos amigos uruguayos la semana pasada

   _____

5. nosotros / escuchar tangos en el Mercado del Puerto en el año 2000

MOSAICOS

A leer

7-17   Los deportes. Complete the following chart, indicating whether each sport is easy or difficult to learn, if an instructor is needed to learn the sport, and how long it takes to learn the sport.

DEPORTES	FÁCIL/DIFÍCIL	¿SE NECESITA PROFESOR? (SÍ/NO)	¿CUÁNTO TIEMPO SE NECESITA PARA APRENDER?
el tenis			
el béisbol			
el baloncesto			
el voleibol			
el esquí			

7-18   ¡A defenderse! One of your friends is looking for help for his children so they can learn to defend themselves when they have to go out alone. Read this ad and then write the information requested in Spanish.

1. Tiempo que se necesita para aprender a defenderse: _____
_____

2. Tipos de clases: _____
_____

3. Edad de los alumnos: _____
_____

4. Calidad de los instructores: _____
_____

5. Dos beneficios de estas clases: _____
_____

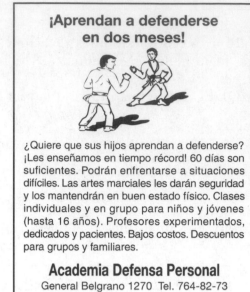

¡Aprendan a defenderse en dos meses!

¿Quiere que sus hijos aprendan a defenderse? ¡Les enseñamos en tiempo récord! 60 días son suficientes. Podrán enfrentarse a situaciones difíciles. Las artes marciales les darán seguridad y los mantendrán en buen estado físico. Clases individuales y en grupo para niños y jóvenes (hasta 16 años). Profesores experimentados, dedicados y pacientes. Bajos costos. Descuentos para grupos y familiares.

Academia Defensa Personal
General Belgrano 1270 Tel. 764-82-73

A escribir

7-19   Preparación: Medio país bajo el agua. Read this article from the international section of a Uruguayan newspaper. Then indicate whether the statements that follow are true or false by circling **C** (**cierto**) or **F** (**falso**).

MEDIO CHILE BAJO EL AGUA

Después de un invierno suave y temperaturas agradables, el frío y el agua azotan desde hace quince días buena parte del territorio chileno. El temporal, que es especialmente intenso en el sur del país, donde se encuentran decenas de pueblos aislados y numerosos caminos y carreteras cerrados al tráfico, se extiende también al centro y al norte del país, especialmente al Desierto de Atacama, el más seco del mundo.

A altas horas de la noche, los escuadrones de rescate pudieron llegar en botes y lanchas a sacar de los techos de sus casas a cientos de damnificados —mujeres y niños— que esperaban angustiosamente la ayuda de las autoridades. Las zonas más afectadas son las poblaciones adyacentes al río Bío-Bío en el sur del país.

Para hoy no se esperan cambios significativos en el clima; se esperan más heladas, lluvia y fuertes vientos.

---

1. C F   El mal tiempo afecta a sólo una región del país.

2. C F   Nieva durante una semana.

3. C F   Las personas pueden usar sus carros en el sur del país.

4. C F   En el Desierto de Atacama hay tormentas de arena.

5. C F   La expresión 'damnificados' probablemente significa 'las víctimas del mal tiempo'.

6. C F   El tiempo va a mejorar.

7. C F   Se esperan vientos de gran velocidad.

7-20   Inundación. Imagine that you are in Chile during the terrible flood described in *Medio Chile bajo el agua.* Write to your family explaining what the weather is like in Chile and its effect on the country. Give your opinion about this weather.

To express your opinion you may use phrases such as: **Pienso que. . ., En mi opinión. . ., Me parece que. . ..** To express factual information you may use phrases such as: **Los datos de/en. . ., indican que. . ., En realidad. . ., Hay/Existe(n). . ., En. . . (no) se puede. . ..**

_____

_____

_____

_____

_____

_____

_____

_____

_____

7-21   El tiempo donde vivo. A friend from Uruguay has written to you asking about the weather in your area. Answer his/her questions as explicitly as possible.

1. ¿Qué tiempo hace en tu ciudad en el invierno? ¿Nieva mucho? ¿Cuál es la temperatura promedio (*average*)? ¿Es baja, alta o moderada?

_____

2. En la primavera, ¿llueve mucho? ¿Hace buen tiempo? ¿Cuál es la temperatura promedio?

_____

3. En el verano, ¿hace mucho calor? ¿Cuál es la temperatura promedio? ¿Hay mucha humedad o es un clima seco? ¿Hay muchas tormentas eléctricas?

_____

4. En el otoño, ¿hace mucho viento? ¿De qué color son las hojas? ¿Cuál es la temperatura promedio? ¿Hace fresco?

_____

5. ¿En qué estación del año están Uds. ahora? ¿Qué deportes practican en esta temporada?

_____

6. ¿Qué tiempo hace en este momento?

_____

ENFOQUE CULTURAL

7-22   Para completar. Fill in the blanks with the correct information. If in doubt, read the section on sports in the Hispanic world on page 256 of the **Enfoque cultural.**

1. El deporte más popular en el mundo hispano es el _____.

2. En el área del Caribe, el deporte más popular es el _____.

3. La Copa Mundial es la competencia de fútbol más importante y se celebra cada _____ años.

4. En Hispanoamérica, algunas personas empezaron a jugar al béisbol en los últimos años del siglo _____.

5. La época del año en que muchos jugadores norteamericanos van a jugar al béisbol con los equipos de algunos países hispanos es el _____.

7-23   ¿Cierto o falso? Indicate if the following statements are true (**cierto**) or false (**falso**) by writing **C** or **F** in the spaces provided, according to the information given in the **Enfoque cultural** on pages 256–257.

1. _____   Uruguay está situado entre Brasil y Argentina.

_____

2. _____   La capital de Uruguay es Punta del Este.

_____

3. _____   Montevideo está al sur del país, junto al Río de la Plata.

_____

4. _____   La ciudad de Punta del Este está relativamente cerca de Montevideo.

_____

5. _____   En Uruguay usan la palabra gaucho para referirse a los mejores jugadores de fútbol.

_____

6. _____   En Montevideo hay un museo dedicado a los gauchos.

_____

7. _____   Para decir que algo es terrible o muy malo, los uruguayos usan la palabra "bárbaro".

_____

8. _____   Para decir que alguien se fue rápidamente, los uruguayos usan la expresión "se fue embalado".

_____

Lección 8

Nombre: _____

Fecha: _____

Fiestas y tradiciones

A PRIMERA VISTA

8-1   Asociaciones. Match the descriptions on the left with the holidays on the right.

1. Un día muy especial para los novios y esposos.

2. Una fiesta muy importante en algunas ciudades como Nueva Orleans y Río de Janeiro.

3. Día especial para recordar a las personas muertas de la familia.

4. Las familias hispanas preparan una gran cena y a veces se intercambian regalos.

5. Hay desfiles con banderas (*flags*) y bandas.

6. Los niños norteamericanos van a las casas de sus vecinos (*neighbors*) y les piden algo.

_____ Día de los Difuntos

_____ Nochebuena

_____ Día de la Independencia

_____ Día de las Brujas

_____ Carnaval

_____ Día de los Enamorados

8-2   Crucigrama. Complete the following sentences to solve the crossword puzzle. When you complete the puzzle, the vertical row will contain the name of a holiday.

1. Los países celebran su libertad y soberanía el Día de la _____.

2. Santa Claus les trae regalos a los niños en _____.

3. El cuarto jueves de noviembre se celebra en Estados Unidos el Día de Acción de _____.

4. Las personas mayores se disfrazan y se divierten mucho en el _____.

5. El primer día del año es el Día de Año _____.

6. En el mes de mayo se celebra en muchos países el Día de las _____.

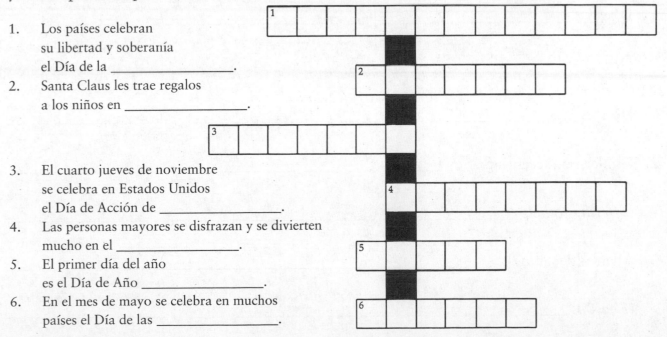

8-3   Las fiestas tradicionales de los Estados Unidos. Answer the questions of a Mexican exchange student about the holidays and traditions in the United States, by completing the following dialog.

ALBERTO: En mi país no tenemos el Día de Acción de Gracias. ¿Me puedes explicar qué es y cuándo lo celebran ustedes?

YO: _____

_____

ALBERTO: Me parece una tradición estupenda. Aquí seguramente celebran el día del cumpleaños igual que nosotros. ¿Cuándo es tu cumpleaños y qué tipo de regalos prefieres recibir?

YO: _____

_____

ALBERTO: Esos regalos me parecen muy buenos. Ahora dime algo de las fiestas en este país. ¿Qué tipo de fiestas te gustan a ti?

YO: _____

_____

ALBERTO: ¡Qué bien! Me tienes que avisar la próxima vez para ir a una fiesta contigo.

8-4   Una invitación. You invite your friends Guillermo and Álvaro to a Super Bowl party. Guillermo accepts the invitation and wants to know what to bring. Álvaro declines and tells you why. Give them information about the party. Then, write your friends' responses.

1. Propósito de la fiesta: _____

Día: _____

Hora: _____

Dónde: _____

2. Guillermo (accepting): _____

(*offering to help*) _____

3. Álvaro (declining): _____

(*Reason*) _____

EXPLICACIÓN Y EXPANSIÓN

Síntesis gramatical

1. The imperfect

- express habitual or repeated actions in the past

- tell time in the past

- express an action or state that was in progress in the past

- tell age in the past

- describe characteristics and conditions in the past

2. Imperfect of regular and irregular verbs

	HABLAR	COMER	VIVIR
yo	hablaba	comía	vivía
tú	hablabas	comías	vivías
Ud., él, ella	hablaba	comía	vivía
nosotros/as	hablábamos	comíamos	vivíamos
vosotros/as	hablabais	comíais	vivíais
Uds., ellos/as	hablaban	comían	vivían

SPANISH HAS THREE IRREGULAR VERBS IN THE IMPERFECT.

ir:	iba, ibas, iba, íbamos, ibais, iban
ser:	era, eras, era, éramos, erais, eran
ver:	veía, veías, veía, veíamos, veíais, veían

3. The preterit and the imperfect

IMPERFECTO

- to talk about customary or habitual actions or states in the past.

- to talk about an ongoing part of an event or state.

PRETÉRITO

- to talk about the beginning or end of an event or state.

- to talk about an action or state that occurred over a period of time with a definite beginning and end.

- to narrate a sequence of completed actions in the past; note that there is a forward movement of narrative time.

4. Comparisons of inequality

más + *adjective/noun* + **que**

menos + *adjective/noun* + **que**

más/menos + *adverb* + **que**

5. Comparisons of equality

tan + *adjective/adverb* + **como**	*as. . . + as*
tantos/as + *noun* + **como**	*as many. . . + as*
tanto/a + *noun* + **como**	*as much. . . + as*
tanto como	*as much as*

6. The superlative

Definite article + *(noun)* + **más/menos** + *adjective* + **de**

La procesión **más** importante de la ciudad.

adjective + **-ísimo**

grande + **-ísimo** = **grandísimo**

fácil + **-ísimo** = **facilísimo**

Imperfect of regular and irregular verbs

8-5   En la escuela primaria. Match the people with the appropriate actions. Then write what you used to do in elementary school.

1. Ella   _____ jugaban fútbol por las tardes.

2. Nosotros   _____ cuidabas a tus hermanos.

3. Los chicos mayores   _____ ayudaba a la profesora.

4. Tú   _____ hacíamos la tarea.

5. Yo   _____

8-6   Antes era diferente. Contrast each statement about the present with the way things used to be. Follow the model.

MODELO: Ahora me gusta la sopa.
              Antes no me gustaba la sopa.

1. Ahora mi hermana baila en los Carnavales.

   _____

2. Ahora mi madre va a las procesiones de Semana Santa.

   _____

3. Ahora mis hermanos viven en el campus de la universidad.

   _____

4. Ahora tengo un coche deportivo.

   _____

5. Ahora mi padre celebra su cumpleaños.

   _____

6. Ahora leo libros de historia.

   _____

8-7   Cuando tenía diez años. Write a paragraph about yourself when you were ten years old using verbs and phrases from the list, or think of your own words.

ir a la playa los domingos	vivir	ser
visitar a los abuelos	estudiar	celebrar
ver partidos de fútbol	dormir	gustar
practicar deportes	comer	montar en bicicleta

_____

_____

_____

_____

_____

_____

_____

_____

_____

_____

_____

_____

_____

The preterit and the imperfect

8-8   ¿Pretérito o imperfecto? Complete the sentences by circling the appropriate past tense form of each verb.

1. (Fueron, Eran) las dos de la mañana cuando ellos (llegaron, llegaban) al hotel.

2. La fiesta de quince años que mis padres le (dieron, daban) a mi hermana el año pasado (fue, era) algo muy especial.

3. Cada Navidad (fuimos, íbamos) a casa de mis abuelos y Papá Noel nos (trajo, traía) muchos regalos.

4. Recuerdo que un año mis padres no le (compraron, compraban) una piñata a mi hermano.

5. Mientras Ernesto (cantó, cantaba), los muchachos (escuchaban, escucharon) con mucha atención.

6. (Conocía, Conocí) al director de la orquesta el mes pasado, pero no (sabía, supe) que vivía muy cerca de casa.

7. El domingo pasado, Día de las Madres, (llevé, llevaba) a mi mamá a un concierto de rock.

8. Todos los años para celebrar el Año Nuevo, Carolina y Martín (fueron, iban) a casa de los Solís y allí (bailaron, bailaban) hasta las dos o tres de la mañana.

8-9   El primer viaje a México. Fill in the blanks with the correct preterit or imperfect verb form.

Yo (1) _____ (ser) estudiante universitario la primera vez que yo

(2)_____ (ir) a México. (3) _____ (llegar) a un hotel de Mérida por la

mañana, pero ya (4) _____ (hacer) calor en la calle. Yo (5)_____

(descansar) una hora en la habitación y luego (6) _____ (salir) para conocer

Mérida. El hotel (7) _____ (estar) en el Paseo Montejo, una de las calles

principales de Mérida.

Como yo (8) _____ (tener) hambre, (9) _____(entrar) en un pequeño

restaurante para comer algo. (10) _____ (ser) las doce del día, pero el restaurante

(11) _____(estar) casi vacío. El camarero (12) _____(ver) que yo

(13)_____ (ser) norteamericano y me (14) _____ (explicar) que en

México la gente almuerza más tarde.

Después de ese día yo siempre (15) _____ (comer) cerca de las dos, como los

mexicanos, aunque muchas veces (16) _____ (tener) hambre más temprano.

8-10   ¿Qué tiene la Sra. Ruiz? The paramedics have just taken Mrs. Ruiz away in an ambulance. A policeman is asking a friend, who was at the house, what happened. Complete their conversation with the appropriate preterit or imperfect verb forms.

POLICÍA: ¿Qué hora era cuando Ud. llegó a la casa de la Sra. Ruiz?

AMIGA: (1) _____ las siete, más o menos, cuando (2)_____.

POLICÍA: ¿Quién le abrió la puerta?

AMIGA: La señora Ruiz me (3) _____ la puerta.

POLICÍA: ¿Ella le dijo algo?

AMIGA: Primero no me (4) _____ una palabra porque

(5)_____ llorando, pero después me (6) _____:

"Me siento muy mal. Llama a los paramédicos".

POLICÍA: ¿Y qué hizo usted?

AMIGA: (7) _____ en la casa y (8) _____ a los paramédicos.

La senté en el sofá y. . .

Mrs. Ruiz's son is explaining how Mrs. Ruiz felt when she arrived at the hospital. Use the correct form of the verbs to complete his description.

Cuando mi mamá llegó al hospital, (1) _____ (estar) muy débil y casi no

(2) _____ (poder) hablar. El médico me (3) _____ (decir) que (4)

_____ (deber) descansar. Una enfermera (*nurse*) le (5) _____ (dar) una

medicina, pero por la tarde, gracias a Dios, (6) _____ (estar) mejor.

8-11 **¿Qué hacías?** Write one thing you used to do in the following places and one thing you did that was memorable.

Jardín de la infancia (kindergarten)

1. _____

2. _____

Escuela secundaria

1. _____

2. _____

El primer semestre en la universidad

1. _____

2. _____

Comparisons of inequality

8-12 **Otras personas y yo.** Compare yourself to others by completing the following statements. Use **más** or **menos** and identify the other person(s).

MODELO: Yo soy *más* atlético/a que *mi hermano.*

1. Hago _____ ejercicio (*exercise*) que _____.

2. Soy _____ fuerte que _____.

3. Participo en _____ deportes que _____.

4. Soy _____ activo que _____.

5. Me gustan _____ los Carnavales que _____.

6. Como _____ verduras y frutas que _____.

8-13   **¿Más de o menos de?** Complete these sentences correctly.

1. La Reina (*Queen*) del Carnaval mide (*is. . . tall*) _____ 1 metro 70 centímetros.

2. Ella pesa (*weighs*) _____ 58 kilos.

3. Los organizadores del Festival de las Flores ganan _____ medio millón de pesos.

4. Yo gano _____ mil dólares al mes.

5. La ciudad de México tiene _____ veintitrés millones de habitantes.

8-14   **Las cosas importantes en la vida.** Compare six pairs of items from the list in order of their importance to you.

MODELO: las notas / las fiestas
Las notas son más importantes que las fiestas.

el dinero	los autos	la televisión	el trabajo
la ropa	los/as amigos/as	el/la novio/a	las clases
las tradiciones	la música	la computadora	el cine
los deportes	la comida	la familia	los accessorios

1. _____

2. _____

3. _____

4. _____

5. _____

6. _____

8-15　**Mi familia, mis amigos y yo.** Compare yourself to family members and friends. Use **más/menos, mayor/menor, mejor/peor** and words from the list.

fiestas	discos	amigos	relojes	aretes	casas
hablar	comprar	bailar	ser	tener	celebrar

MODELOS:　*Yo tengo más aretes que mi hermana.*
　　　　　Yo bailo mejor que Carlota.

1. _____

2. _____

3. _____

4. _____

5. _____

Comparisons of equality

8-16　**Aspectos de la vida.** Complete the following statements.

MODELO:　El tenis es tan _____ como _____.
　　　　　El tenis es tan difícil como el golf.

　　　　　Los Sanfermines son tan_____como_____.
　　　　　Los Sanfermines son tan alegres como el Carnaval.

1. La música mexicana es tan _____ como _____.

2. Las personas que preparan las alfombras de Semana Santa en Guatemala trabajan tanto

   como _____.

3. Bailar en el Carnaval es tan _____ como _____.

4. Las procesiones de Semana Santa son tan _____ como _____.

5. Los niños reciben tantos regalos en _____ como en _____.

8-17   Comparaciones. Complete these statements using **tan, tantos/as,** or **tanto/a** to compare yourself with athletes, actors, and other famous people.

MODELO: Soy _____ divertido como _____.
Soy tan divertido como Billy Crystal.

1. No soy _____ grande como _____.

2. Tiro (*I throw*) la pelota de béisbol _____ lejos como _____.

3. Soy _____ inteligente como _____.

4. Sé que tengo _____ habilidad como _____.

5. No gano _____ dinero como _____.

6. Recibo _____ invitaciones como _____.

8-18   Opiniones sobre las celebraciones y las fiestas. Answer the following questions in complete sentences.

1. En su opinión, ¿qué fiesta es tan divertida como el Carnaval?

    _____

2. ¿Qué cree usted que cuesta más, una boda o un bautizo?

    _____

3. En su opinión, ¿qué reunión familiar en este país es tan importante como la Nochebuena?

    _____

4. Según usted, ¿qué es mejor para una pareja, celebrar una boda elegante y muy cara o hacer el primer pago para comprar un condominio?

    _____

5. ¿En qué fiestas se divierte usted tanto como en el Día de Año Nuevo?

    _____

The superlative

8-19 **Mis preferidos.** Complete the following sentences by expressing your preferences.

1. Mi mejor amigo/a es _____.

2. El mejor programa de televisión es _____ y el peor es _____.

3. La fiesta más grande de este país es _____.

4. El desfile más interesante de este año fue _____.

5. La celebración más aburrida en mi familia es _____.

8-20 **Las opiniones de Pepe.** Complete this excerpt from a food magazine with words and phrases from the list. Use each item only once.

buenísimo	fresquísimos	grandísimas
las más caras	las mejores	la mejor

En el restaurante México Lindo se sirve _____ comida mexicana de esta ciudad.

Los vegetales son _____ y los sirven con una salsa deliciosa. El queso es

_____ y les recomiendo que lo coman con los tacos y las fajitas. Las tortillas son

_____ de la ciudad. Las quesadillas de pollo son _____, pero son tan

buenas que no importa pagar un poco más. Es mejor pedir un solo plato porque las

porciones son _____.

8-21   Isabel, Juan y don Felipe. Using superlatives, compare each person's age, height, and weight to the other two based on the information in the following chart.

	JUAN	DON FELIPE	ISABEL
edad	22 años	57 años	19 años
estatura	1,85 m	1,72 m	1,55 m
peso	72 kilos	61 kilos	48 kilos

MODELO: Isabel / edad
          Isabel es la más joven / la menor de los tres.

1. Don Felipe / edad

    _____

2. Juan / estatura (*height*)

    _____

3. Isabel / estatura

    _____

4. Juan / peso

    _____

5. Isabel / peso

    _____

MOSAICOS

A leer

8-22   **¿Religioso, secular o personal?** In the first column indicate whether each of the following occasions is a holiday; in the next columns say if each one is a religious, a secular, or a personal celebration/commemoration.

	DÍAS FESTIVOS	RELIGIOSO	SECULAR	PERSONAL
1. Nochebuena				
2. Navidad				
3. Nochevieja				
4. Año Nuevo				
5. Día de la Independencia				
6. Pascua de Resurrección				
7. Aniversario de matrimonio				
8. Día de la Madre				
9. Januká				
10. Día de las Brujas				
11. Día de los Enamorados				
12. Día de Acción de Gracias				
13. Día de los Muertos				
14. Ramadán				

8-23   Fiestas de México. Read this information about Mexican holidays and festivities and follow the instructions on the next page.

Sin duda, México es un país con una naturaleza privilegiada. Si a eso agregamos el carácter amigable de los mexicanos y el gran número de fiestas y celebraciones locales y nacionales, tenemos la imagen de una nación con una riqueza humana y cultural extraordinarias.

En México hay muchos días festivos en los cuales se les rinde homenaje a figuras históricas nacionales, como a Benito Juárez, el 21 de marzo, o a santos —como la celebración de San Antonio de Abad el 17 de enero. También se realizan procesiones religiosas a diversos lugares en las que los devotos hacen penitencias a sus santos para pedir un favor o dar gracias por favores recibidos. Tal es el caso de la visita a la Basílica de la Virgen de Guadalupe el 12 de diciembre.

Un buen ejemplo de la religiosidad del mexicano es la celebración del Día de los Muertos. En esta ocasión se fusionan creencias precolombinas —aztecas— con ritos católicos. La Navidad, otra fiesta nacional importante, se celebra el 25 de diciembre, igual que en el resto del mundo cristiano. No obstante, Las Posadas son indudablemente una de las festividades religiosas más interesantes. Desde el 16 al 23 de diciembre, los mexicanos participan en Las Posadas, en las que se conmemora la peregrinación de José y María en busca de un refugio en Belén. El 6 de enero, se celebra el Día de los Santos Reyes. En esta fecha los niños mexicanos reciben los regalos que les han traído los Reyes Magos.

Otra festividad de gran interés tanto para niños como para adultos son las famosas Pastorelas, la expresión más antigua del teatro mexicano. En éstas, la figura del diablo adquiere especial relevancia en las magníficas representaciones en plazas públicas, teatros y otros escenarios.

México, además de ser un país muy católico, es una nación de grandes tradiciones históricas. Es así como el 5 de mayo, los mexicanos celebran su triunfo sobre los franceses en Puebla de los Ángeles en 1862. El 16 de septiembre, el Día de la Independencia mexicana, se celebra la fecha cuando Miguel Hidalgo, héroe nacional, dio el Grito de Dolores. Pero la fiesta de Independencia realmente comienza la noche del 15, cuando miles de personas van a la plaza principal de cada población y rodean las calles adyacentes. Se unen a esta gran celebración y le dan un ambiente festivo mariachis, bandas musicales y vendedores de todo tipo. A las once de la noche, la multitud se acerca expectante al sitio donde se dará "El Grito", una repetición de la arenga que el Padre Hidalgo pronunció en Dolores en 1810. Es en ese momento cuando miles de voces cantan el himno nacional mexicano, en medio de cohetes y fuegos artificiales.

Todas estas ocasiones son invitaciones a aprender y disfrutar de la herencia histórico-cultural del país.

Indique:

1. Dos festividades religiosas y la fecha de celebración:

_____

2. Una festividad en la que se combinan costumbres europeas e indígenas:

_____

3. Una festividad de tipo artístico y lugar donde se celebra:

_____

4. Dos festividades históricas de México y la fecha de celebración:

_____

8-24   Tradiciones familiares. Describe two of your favorite family traditions for each of the following holidays.

1. el Día de Año Nuevo

_____

2. el Día de la Independencia

_____

3. el Día de Acción de Gracias

_____

A escribir

8-25   Comparación. Write a couple of paragraphs comparing two holidays. Follow these steps before you start writing:

1. Choose your holidays.

2. List the similarities and differences.

3. Decide if you want to present all the similarities and/or differences of one, and then all the similarities and/or differences of the other, or if you want to compare one idea at a time.

_____

_____

_____

_____

_____

_____

_____

_____

_____

_____

_____

_____

_____

_____

_____

_____

ENFOQUE CULTURAL

8-26   Indicate if the following statements are true (cierto) or false (falso) by writing C or F in the spaces provided, according to the information given in the Enfoque cultural on pages 289–291.

1. _____ En los países hispanos se celebran muchas fiestas de carácter religioso.

2. _____ Los Sanfermines son unas fiestas muy populares en Guatemala.

3. _____ El Día de la Virgen de Guadalupe es una celebración muy importante en México.

4. _____ La conmemoración del Día de los Muertos es un día muy triste en México.

5. _____ Comer dulces en la forma de esqueletos es parte de lo que hacen muchos mexicanos el Día de los Muertos.

6. _____ En México y en Guatemala se celebran las Posadas.

7. _____ En esta fiesta, las personas cantan y piden posada fuera de las casas hasta que les abren la puerta en una de ellas y allí celebran una fiesta.

8. _____ En las Posadas se celebra la visita que le hicieron los Reyes Magos a Jesús.

8-27   **¿Qué sabe usted de México y Guatemala?** Fill in the blanks with the correct information. If in doubt, read the section on México y Guatemala on pages 290–291 of the **Enfoque cultural.**

La Ciudad de México, es una de las ciudades más grandes del mundo. Cuando hablan de su capital, muchos mexicanos usan la expresión Distrito Federal o _____. La segunda ciudad importante de México es _____. Esta ciudad es el lugar de origen de los grupos musicales más populares de México, los _____. En México también existen muchas ruinas mayas, como las ciudades de Chichén Itza y Uxmal, que se encuentran en la península de_____.

El clima de Guatemala es muy agradable y por eso llaman a este país la tierra de la eterna _____. Su capital, la Ciudad de Guatemala, tiene museos muy interesantes, y en Chichicastenango, tiene lugar, dos veces a la semana, uno de los más famosos _____ de artesanías del mundo. En Guatemala, al igual que en México, hay numerosas ruinas mayas. La más importante es _____, la ciudad más grande de la civilización maya que se ha descubierto.

Lección 9

El trabajo

A PRIMERA VISTA

9-1   Asociaciones. Match each occupation with the appropriate workplace.

1. cajero   _____ un laboratorio

2. científico   _____ una limosina

3. enfermera   _____ un banco

4. chofer   _____ una tienda

5. dependienta   _____ un hospital

6. mujer de negocios   _____ una oficina

9-2   ¿Quién es? Write the name of the professional that matches each job description.

1. Ayuda a las personas con problemas psicológicos y de comprensión humana.

_____

2. Defiende a las personas con problemas legales enfrente del juez.

_____

3. Sirve las comidas en los restaurantes.

_____

4. Actúa en películas o en la televisión.

_____

5. Repara el fregadero, el lavabo y el inodoro.

_____

9-3   ¿Qué profesional necesito? Decide what professional you need in the following situations.

SITUACIONES	PERSONA QUE NECESITO
1. Usted se despierta y ve que hay un fuego en la casa de enfrente.	
2. Hay mucha agua en el piso de su cuarto y del baño.	
3. Su pelo está muy largo y no tiene forma.	
4. Ud. está en África y no comprende la lengua que la gente habla.	
5. Ud. está en una tienda de ropa y quiere pagar.	
6. Usted tiene problemas con el IRS.	

9-4   **Entrevista sobre su trabajo (real o imaginario).** A local reporter is interviewing you and has asked you to answer these questions in writing.

PERIODISTA: ¿Dónde trabaja usted?

USTED: _____

PERIODISTA: ¿A qué hora llega al trabajo?

USTED: _____

PERIODISTA: ¿A qué hora sale del trabajo?

USTED: _____

PERIODISTA: ¿Cuántas personas trabajan allí?

USTED: _____

PERIODISTA: ¿Qué hace en su trabajo?

USTED: _____

EXPLICACIÓN Y EXPANSIÓN

Síntesis gramatical

1. Se + *verb* constructions

Se + usted, él, ella verb form + *singular noun*
Se necesita un vendedor.   *A salesman is needed.*

Se + ustedes, ellos, ellas verb form + *plural noun*
Se necesitan unos vendedores.   *Salesmen are needed.*

Se + usted, él, ella verb form
Se trabaja mucho en esta oficina.   *One works/You work a lot in this office.*
Se dice que recibió un aumento.   *They/People say that he got a raise.*

2. More on the preterit and the imperfect

Verbs with different meanings in English when the Spanish preterit is used: **saber, querer, conocer, poder**

Expressing intentions in the past: imperfect of **ir + a +** infinitive

Iba a salir, pero era tarde.   *She was going out, but it was late.*

Imperfect progressive: imperfect of **estar +** present participle (**-ando** or **-iendo**)

El secretario **estaba hablan**do con un cliente.   *The secretary was talking to a client.*

3. Direct and indirect object pronouns

Ella me dio la solicitud.   *She gave me the application.*

Ella **me la** dio.   *She gave it to me.*

4. Formal commands

		USTED	USTEDES	
hablar:	hable	hable	hablen	*speak*
comer:	come	coma	coman	*eat*
escribir:	escribe	escriba	escriban	*write*

Se + verb constructions

9-5   Completar. Circle the correct completion for each sentence.

1. . . . cajeros con experiencia.
   a) Se necesita
   b) Se necesitan

2. En esas tiendas . . . español.
   a) se habla
   b) se hablan

3. Aquí . . . bicicletas.
   a) se alquila
   b) se alquilan

4. . . . apartamentos de dos habitaciones y dos baños.
   a) Se vende
   b) Se venden

5. . . . muy bien en este lugar.
   a) Se vive
   b) Se viven

9-6   ¿Qué se hace? Write what is normally done in the following places.

MODELO: En una librería *se compran libros.*

1. En la cocina de un restaurante _____

2. En una oficina _____

3. En un periódico_____

4. En una tienda _____

5. En el cine _____

6. En la playa_____

9-7   Los anuncios. You are an intern at the newspaper *El Mercurio* in Chile. Write a heading for each of these ads using **se**.

MODELO:

Alquilamos casa 3 dormitorios, 3 baños, garaje, cocina amplia 4 millones
Avenida Las Condes 1038, Santiago
5542234

Se alquila una casa.

LIQUIDADORA
Vende a precios bajísimos
patines, raquetas y pelotas de tenis
San Francisco 749, 5541956

_____

CICO LTDA, vende oficina
52 m alfombrada,
dividida en dos ambientes
20 millones
Paseo Bulnes 1395, 695 7878

_____

TÉCNICOS REPARAN
Refrigeradores Congeladores
Estufas Lavaplatos
Lavadoras Secadoras
Teléfono 5542012

_____

VENDO COMPUTADORA
Compatible IBM,
Pentium III, 20 GB
Pantalla color
5577842

_____

LAVAMOS ALFOMBRAS
Trabajo garantizado
2747483

_____

9-8   En mi casa. You are describing your family's habits in a general way to a friend. Write a paragraph using the impersonal form of six of the expressions from the list and any others you wish to add.

poner la televisión	sacar la basura	ir al mercado
llamar al médico	lavar el auto	limpiar la casa
comprar el periódico	ver una película	recoger las hojas
cenar	celebrar (fiestas)	cortar el césped

MODELO: *En mi casa se almuerza a las. . .*

_____

_____

_____

_____

_____

_____

_____

_____

More on the preterit and the imperfect

9-9   Cuando Josefina estudiaba en Santiago. Provide the imperfect or preterit form of the verbs in parentheses.

1. Cuando Josefina estudiaba en Santiago _____ (querer) ir a Portillo, un centro de esquí cerca de la capital, pero nunca _____ (poder) ir.

2. Josefina _____ (conocer) a Juan Manuel en 1999. Ella lo _____ (conocer) bien porque vivían en la misma residencia de estudiantes de la Universidad de Chile en Santiago y hablaban frecuentemente.

3. Josefina _____ (saber) la noticia del accidente de Juan Manuel cuando una compañera la_____ (llamar).

4. Josefina _____ (saber) la dirección del hospital porque _____ (tener) varios amigos que _____ (trabajar) allí.

9-10   **Un día en la oficina.** You and your friend work in the same office. Describe what these people were doing when you arrived. Use the imperfect progressive in your descriptions.

MODELO: el jefe de ventas / leer unas solicitudes
El jefe de ventas estaba leyendo unas solicitudes.

1. la Sra. González / preparar un informe (*report*)

   _____

2. Alberto y Estela / hablar con unos clientes

   _____

3. la secretaria del jefe / tomar notas

   _____

4. Irene / beber café en su escritorio

   _____

5. el contador / revisar unos datos

   _____

9-11   **Entrevista.** Answer these questions using the cues in parentheses and the preterit or imperfect accordingly.

1. ¿ Conocías a tu profesor/a de español el año pasado? (Sí. . .)

   _____

2. ¿Cuándo y dónde lo/la conociste? (hace dos años/en el laboratorio de lenguas)

   _____

3. ¿Sabías que Chile producía mucho cobre (*copper*)? (Sí. . .)

   _____

4. ¿Cuándo y dónde lo supiste? (este año / en la clase de español)

   _____

5. ¿Querías hablar con tu amigo chileno esta mañana? (Sí. . .)

   _____

6. ¿Pudiste hablar con él? (No. . .)

   _____

Direct and indirect object pronouns

9-12   Las profesiones. What do these professionals do? Use direct and indirect object pronouns.

MODELO: El profesor les enseña las lecciones a los estudiantes.
El profesor se las enseña.

1. Los abogados les hacen preguntas a sus clientes.

_____

2. El ama de casa prepara el desayuno para su familia.

_____

3. El vendedor les vende autos a los clientes.

_____

4. El bibliotecario organiza los libros para los estudiantes.

_____

5. Los periodistas le comunican las noticias al público.

_____

6. Los camareros les sirven la comida a los clientes.

_____

9-13   El generoso. Your boss is very generous, so every Christmas he gives presents to his employees. In a full sentence, tell what he wants to give away and to whom. Then shorten your sentence by using the direct and indirect object pronouns.

MODELO: discos / María
Quiere darle unos discos a María.
Se los quiere dar. o Quiere dárselos.

1. pañuelos / a nosotros

_____

2. una billetera de cuero / a su secretario

_____

3. un radio portátil / a ti

_____

4. dos entradas para un partido de béisbol / a mí

_____

5. un reloj / al jefe de personal

_____

9-14   **¿Qué me recomienda?** Your older brother is very knowledgeable. You want to know his opinion. Write down his recommendations and his reasons. Use the direct and indirect object pronouns.

MODELO: ¿Me recomiendas las playas de La Serena en Chile? (Sí) ¿Por qué?
          Sí, te las recomiendo porque son muy bonitas, el agua
          no es fría y está muy limpia.

1. ¿Me recomiendas a tu profesor/a de español? (Sí) ¿Por qué?

   _____

   _____

2. ¿Me recomiendas ese restaurante chileno? (No) ¿Por qué?

   _____

   _____

3. ¿Me recomiendas los conciertos de Christina Aguilera? (Sí) ¿Por qué?

   _____

   _____

4. ¿Me recomiendas la profesión de abogado? (No) ¿Por qué?

   _____

   _____

5. ¿Me recomiendas los autos deportivos? (Sí) ¿Por qué?

   _____

   _____

   _____

Formal commands

9-15   ¿Qué es lógico? Read the following situations and circle the most logical command to complete each one.

1. Usted es un/a arquitecto/a que tiene que mandar un proyecto a casa de un cliente. Usted habla con el dibujante (*draftsman*) que está haciéndolo y le dice:
    a) Termine hoy.
    b) Compre la casa.
    c) No venga mañana.

2. Juan está en un desierto y tiene mucha sed. Ve a un hombre y le dice:
    a) Deme su camisa.
    b) Deme agua.
    c) Deme dinero.

3. Los hijos de su hermano están en la sala de su casa. Usted tiene unos objetos antiguos (*antique*) muy caros y los niños están corriendo en la sala. Usted les dice:
    a) Tomen el helado aquí.
    b) Cierren la puerta.
    c) No jueguen aquí.

4. Usted va a entrevistar a una persona que quiere trabajar en su compañía. Usted lo saluda y le dice:
    a) Abra la ventana.
    b) Siéntese, por favor.
    c) No trabaje más.

5. Su profesor de literatura da tarea todos los días. Al terminar la clase dice:
    a) Hagan la tarea.
    b) No hablen.
    c) Cambien los libros.

9-16   No corran en la casa. You are taking care of your neighbor's children. Tell them not to do these things.

MODELO: Ellos tocan la estufa.
           No toquen la estufa.

1. Ellos bañan al perro.

_____

2. Ellos salen a la calle.

_____

3. Ellos se acuestan en el sofá.

_____

4. Ellos juegan con la computadora.

_____

5. Ellos escriben en las paredes (*walls*).

_____

9-17   Consejos (*Advice*). You are a doctor giving advice to a patient who had a heart attack. Using commands and these cues, prepare a list of things the patient should and should not do.

MODELO: caminar / hacer ejercicio
           Camine y haga ejercicios.

1. dormir / ocho horas

_____

2. almorzar / frutas / verduras

_____

3. seguir / dieta / todos los días

_____

4. no comer / hamburguesas / papas fritas

_____

5. jugar / con sus nietos

_____

6. no / trabajar / más de 6 horas diarias

_____

9-18 **¿Qué hago?** During a meeting your assistant asks you these questions. Answer them using affirmative commands and direct object pronouns when possible.

MODELO: ¿Traigo el contrato?
Sí, tráigalo.

1. ¿Cierro la puerta?

   _____

2. ¿Me siento aquí?

   _____

3. ¿Traigo la computadora portátil?

   _____

4. ¿Le sirvo café ahora?

   _____

5. ¿Leo mis notas?

   _____

9-19 **Por favor. . .** While you and your family are on vacation, someone is going to house sit for you. Your mother asks you to write a note telling the house sitter to: (a) open the windows in the morning; (b) buy the newspaper; (c) walk the dog; (d) take the garbage out; (e) close the doors and windows at night.

1. _____

2. _____

3. _____

4. _____

5. _____

MOSAICOS

A leer

9-20   En busca de trabajo. If you were applying for your dream job, which of the following types of information would you include on your résumé? Place the items below in order of importance, with 1 being the most important. In the final space include one additional piece of information.

_____ nacionalidad   _____ dirección de correo electrónico

_____ nombre   _____ historial de salud (*health*)

_____ educación   _____ profesión, oficio/ ocupación

_____ edad   _____ pasatiempos preferidos

_____ sexo   _____

9-21   Los anuncios. Read these ads and give the information requested regarding each one.

A. Fill in the blanks based on the information provided in the ad.

Secretaria ejecutiva bilingüe

Importante empresa minera solicita secretaria ejecutiva bilingüe (español-inglés), con experiencia mínima de 4 años, con conocimientos de procesador de palabras. Indispensable excelentes relaciones interpersonales y buena presencia.

Interesadas enviar Currículum Vitae,
foto reciente y pretensiones de sueldo a
Oficina de Personal Mineral El Teniente, Morandé 938

---

1. Puesto:

_____

2. Experiencia:

_____

3. Cualidades importantes:

_____

4. Información que se debe mandar por correo:

_____

5. Se debe enviar esta información a:

_____

B. Indicate whether each of the statements about the information given in the following ad is true or false by writing **C** (**cierto**) or **F** (**falso**) in the space provided. If it is **F** (**falso**), correct the information.

1. _____ Los puestos son sólo para hombres.

_____

2. _____ Las personas interesadas deben saber expresarse bien.

_____

3. _____ Es necesario trabajar a tiempo completo.

_____

4. _____ Para este trabajo, no importa la ropa de las personas.

_____

5. _____ Las personas interesadas van a recibir preparación para el puesto.

_____

6. _____ Los interesados pueden llamar a cualquier hora.

_____

SE BUSCA PERSONAL
JÓVENES DINÁMICOS DE AMBOS SEXOS
REQUISITOS:
- Facilidad de palabra
- Aptitud para las ventas
- Buena presencia
- Disposición para entrenamiento
- Trabajo no requiere tiempo completo

INTERESADOS LLAMAR AL TEL. 223-23-44
Pedir hablar con Jefe de Contrataciones
Horario de 9 a 13 hrs. y de 14 a 18 hrs.

C. Fill in the blanks based on the information provided in the following ad.

1. Puesto ofrecido: _____

_____

2. Límite de edad: _____

_____

3. Estado civil: _____

_____

4. Requisitos: _____

_____

5. Conocimiento preferido: _____

_____

6. Documentos requeridos: _____

_____

7. Se debe mandar esta información a: _____

_____

Tienda especializada en computadoras
y comunicaciones necesita

VENDEDORA

Soltera, menor de cuarenta y cinco años, con experiencia en programación, interés en comenzar una carrera en venta de computadoras y viajar por el extranjero, buena presencia y dinamismo; se prefiere candidata con conocimiento de idiomas. Enviar currículum vitae con fotografía a

CONTRATACIONES IBM,
Avenida Costanera 1075, Providencia, Santiago

A escribir

9-22   Mi profesión ideal. Imagine that you see an ad for a job that coincides perfectly with your skills and qualities. What does it look like? Create an ad for this "dream job" that includes the same kind of information as the ads shown in **Activity 9-21, Los anuncios.** Be sure to give the following information: requisitos, cualidades, habilidades, descripción del puesto, dirección, teléfono, etc.

```
┌──────────────────────────────────────────────────────────────┐
│                                                                │
│                                                                │
│                                                                │
│                                                                │
│                                                                │
│                                                                │
└──────────────────────────────────────────────────────────────┘
```

9-23   Se necesita. You are an executive who needs a secretary. Make a list of the job requirements. You may consider information like experience, languages spoken, computer skills, words per minute, personality traits, etc.

1. _____   5. _____

2. _____   4. _____

3. _____   6. _____

9-24   Un anuncio. You decide to place an ad in the newspaper advertising an opening your firm has for a secretary. Use the information from the previous exercise to write it.

```
┌──────────────────────────────────────────────────────────────┐
│                                                                │
│                                                                │
│                                                                │
│                                                                │
│                                                                │
└──────────────────────────────────────────────────────────────┘
```

ENFOQUE CULTURAL

9-25 Indicate if the following statements are true (**cierto**) or false (**falso**) by writing **C** or **F** in the spaces provided, according to the information given in the **Enfoque cultural** on pages 324–325.

1. _____ En los países hispanos los jóvenes de la clase media generalmente trabajan cuando están en la escuela secundaria.

2. _____ Algunos jóvenes de las clases pobres que necesitan trabajar pueden limpiar zapatos o vender periódicos en la calle.

3. _____ La economía de Chile está en peores condiciones que la de Ecuador y Venezuela.

4. _____ En algunos países hispanos la inflación y el índice de desempleo son altos.

5. _____ El índice de desempleo en Chile es más alto que el de Perú.

6. _____ En Chile, muchas de las empresas privadas de hoy pertenecían al estado en el pasado.

7. _____ Una expresión chilena que se usa para decir que una persona no tiene dinero es "está sin chaucha".

8. _____ En Chile, una expresión equivalente a "pienso que" es "me tinca que".

9-26 **¿Qué sabe usted de Chile?** Fill in the blanks with the correct information. If in doubt, read the section on Chile on page 325 of the **Enfoque cultural**.

La capital de Chile es _____. Debido a su situación geográfica, las personas que

viven en esta ciudad pueden _____ en las montañas o disfrutar del sol y el mar en

la _____. El esquí se puede practicar en Chile desde el mes de _____

hasta _____.

El puerto más importante de Chile es _____. En esta ciudad se celebra uno de los

festivales más conocidos del mundo hispano, el famoso Festival de la _____.

También se encuentra allí la casa museo del poeta _____, ganador del Premio

Nobel de Literatura en 1971.

Lección 10

Nombre: _____

Fecha: _____

La comida y la nutrición

A PRIMERA VISTA

10-1 **Asociaciones.** Match the descriptions on the left with the words on the right.

1. Se usa para hacer hamburguesas.

2. Popeye es fuerte porque come este vegetal verde.

3. Se necesita esta fruta para hacer vino.

4. A Bugs Bunny le gustan mucho.

5. Se pone en la mesa con la sal.

6. Se usa para hacer guacamole.

_____ espinacas

_____ pimienta

_____ uva

_____ carne molida

_____ aguacate

_____ zanahorias

10-2 **Los ingredientes.** Which ingredients are used to make these dishes/desserts? Give as much detail as possible.

1. Una ensalada de frutas:

_____

2. Una sopa de verduras:

_____

3. Una hamburguesa:

_____

4. Su sándwich favorito:

_____

5. Un helado de fresa:

_____

6. Un pastel de cumpleaños:

_____

10-3   Los utensilios. What utensils are needed? Match the items in the left column with those in the right. In some cases, more than one utensil is possible.

1. bistec

2. helado

3. vino

4. agua

5. café

6. comida

_____ un plato

_____ un cuchillo

_____ un vaso

_____ una cucharita

_____ una taza

_____ una copa

10-4   Una excursión divertida. You and some classmates are organizing a picnic for the weekend. Write complete sentences telling what each of you will contribute, using the items and verbs from the list. You may also think of your own words.

hamburguesas	cocinar	ensalada	helados	pan
cerveza	libros	preparar	comprar	frutas
refrescos	buscar	pollo frito	música	traer

MODELO: *Mario va a traer la música.*

1. _____

_____

2. _____

_____

3. _____

_____

4. _____

_____

5. _____

_____

6. _____

_____

10-5   Tus preferencias. Your new roommate wants to know what your food preferences are. Answer his/her questions giving as much detail as possible.

.

1. ¿Qué te gusta beber en las fiestas?

   _____

2. ¿Qué verduras compras regularmente?

   _____

3. ¿Qué prefieres comer en un restaurante?

   _____

4. ¿Qué condimentos usas frecuentemente?

   _____

5. ¿Qué se come en tu casa el Día de Acción de Gracias?

   _____

EXPLICACIÓN Y EXPANSIÓN

Síntesis gramatical

1. Present subjunctive

yo	habl **e**	com **a**	viv **a**
tú	habl **es**	com **as**	viv **as**
Ud., él, ella	habl **e**	com **a**	viv **a**
nosotros/as	habl **emos**	com **amos**	viv **amos**
vosotros/as	habl **éis**	com **áis**	viv **áis**
Uds., ellos/as	habl **en**	com **an**	viv **an**

2. Indirect commands

Que + él/ella subjunctive form.	**Que vaya Pedro.**	*Let Pedro go.*
Que + ellos/ellas subjunctive form.	**Que vayan ellos/ellas.**	*Let them go.*

Present subjunctive

10-6   Para completar. Choose the subjunctive phrase that completes each sentence.

1. Gabriel prefiere que. . .
   a) comes en un restaurante.
   b) vayas al supermercado.
   c) compras el pescado.

2. La profesora quiere que los estudiantes. . .
   a) escuchan los casetes.
   b) practican los diálogos.
   c) hagan la tarea.

3. Queremos comer un plato que. . .
   a) está en la bandeja.
   b) tenga mariscos.
   c) no tiene pimienta.

4. Samuel y tú quieren que yo. . .
   a) compre el postre.
   b) voy a la pastelería.
   c) saco la carne del horno.

5. Mamá quiere que nosotros. . .
   a) nos acostamos temprano.
   b) lavamos los platos.
   c) saquemos la basura.

6. Es muy importante que tú. . .
   a) almuerces bien todos los días.
   b) no comes muchos dulces.
   c) bebes refrescos.

The subjunctive used to express wishes and hopes

10-7   Cuidando a un perro. You are taking care of your neighbors' dog, Kiko, while they are on vacation. What do they want you to do? Use the subjunctive in your answers.

MODELO: comprarle comida
           Quieren que (yo) le compre comida.

1. darle comida dos veces al día

   _____

2. jugar con él todos los días

   _____

3. sacarlo a caminar

   _____

4. ponerle agua fresca por las mañanas

   _____

5. bañarlo el fin de semana

   _____

6. llevarlo al veterinario el martes

   _____

10-8   No saben cocinar. Complete this conversation between Alfonso and his sister Julia about a dinner with guests that he and his wife Sofía are having today. Use the appropriate forms of the verbs in parentheses.

JULIA: ¿Dices que es la primera vez que ustedes van a hacer arroz con pollo? ¡Y con

invitados! Espero que no (1) _____ (tener) problemas.

ALFONSO: Sí, yo espero que todo (2) _____ (salir) bien, pero tú sabes que mi

mujer (*wife*) no (3) _____ (cocinar) bien y yo mucho menos.

JULIA: Mamá dice que Uds. (4) _____ (usar) mucha cebolla y ajo.

Además, seguro que ella va a llegar temprano para ayudar a Sofía.

ALFONSO: Es importante que (5) _____ (llegar) temprano. Sofía quiere que los

Anderson (6) _____ (comer) un buen arroz con pollo.

JULIA: Mira, Alfonso, no te preocupes. Tú le pides a mamá que (7)_____

(ayudar) a Sofía y ella va a estar encantada. Así se siente útil.

ALFONSO: Y es importante que mamá (8) _____ (sentirse) útil.

JULIA: Llámala y te aseguro que estará ahí en quince minutos.

ALFONSO: Ahora lo voy a hacer.

10-9   Notas para los jugadores. As the manager of the school's soccer team, you leave brief notes to five of your players, telling each one what he should do. Be sure to address them as **tú**.

MODELO: quiero / practicar
            Quiero que practiques dos horas esta tarde.

1. espero / dormir

_____

2. prefiero / hacer ejercicio

_____

3. quiero / comer

_____

4. necesito / venir

_____

5. espero / traer

_____

10-10   Esperamos que les guste todo. You and some classmates are preparing a lunch for the Spanish Club. Complete the following sentences about the students you have invited using **que** and a verb of your choice. Give each sentence a logical ending.

MODELO: *Esperamos que les gusten estos platos.*

1. Deseamos _____.

2. Sabemos _____.

3. Preferimos _____.

4. Les pedimos _____.

5. Necesitamos _____.

10-11   La disciplina es conveniente. You are in charge of student housing at a school in Ecuador. Write down the activities you allow students to do and those you prohibit. Also indicate any conditions, such as where /at what time / for how long, etc. they are allowed or prohibited. Use the list below or your own ideas.

comer	fumar (*to smoke*)	tomar bebidas alcohólicas
tener fiestas	hacer ruido	poner la televisión

MODELOS: bañarse
Les permito que se bañen en la piscina de dos a seis.

hacer ejercicio
Les prohíbo que hagan ejercicio en los dormitorios.

1. _____

2. _____

3. _____

4. _____

5. _____

6. _____

The subjunctive with verbs and expressions of doubt

10-12   No, no lo creo. Express your disbelief about these generalizations, which appear in an article on stereotypes.

MODELO: Todos los brasileños juegan muy bien al fútbol.
Yo no creo que todos los brasileños jueguen muy bien al fútbol.

1. Todos los argentinos comen carne dos veces al día.

    _____

2. Todos los niños de los Estados Unidos ven mucha televisión.

    _____

3. A todos los ecuatorianos les gusta el ceviche.

    _____

4. Todos los mexicanos saben hacer tortillas y beben tequila.

    _____

5. Todos los cubanos bailan muy bien.

    _____

10-13   Mi opinión. Give your opinions on the following topics. Begin your sentences with one of these expressions: **(no) creo, dudo, tal vez, quizá(s).**

MODELO: Es necesario estudiar todos los días.
Creo que es necesario estudiar todos los días. o
No creo que sea necesario estudiar todos los días.

1. Las películas de hoy tienen demasiada violencia.

    _____

2. Hay que complementar los estudios con el arte, los deportes y los pasatiempos.

    _____

3. Es importante enseñarles a los niños el peligro (*danger*) de las drogas.

    _____

4. Hay que dedicar más dinero para descubrir la cura para el cáncer.

    _____

5. Es necesario seguir una dieta balanceada y hacer ejercicio.

    _____

10-14   Una ecuatoriana habla de su país. Carmen, a young Ecuadorian student, expresses her opinions about tourism in her country. Complete her descriptions using the correct forms of the verbs in parentheses.

Me llamo Carmen Romero Salazar y vivo en Quito, la capital de Ecuador. Los turistas que visitan Ecuador creen que mi país (1) _____ (ser) uno de los países más interesantes de la América del Sur, pero las personas que no lo conocen dudan que (2)_____ (tener) lugares tan interesantes. Por eso quiero darles más información sobre mi país. En Ecuador, y especialmente en Quito, la arquitectura religiosa colonial es extraordinaria. Quizás los turistas (3) _____ (poder) ver iglesias con decoraciones de oro (*gold*) en otras ciudades importantes de América Latina, pero no creo que estas ciudades (4) _____ (tener) tantas iglesias tan cerca una de otra como en Quito. Además, es cierto que desde Quito las excursiones (5) _____ (llevar) a los turistas a ver el volcán activo más alto del mundo, el Cotopaxi, en menos de dos horas. Asimismo, es posible que los turistas (6) _____ (tomar) excursiones para visitar la región de las selvas (*jungles*) en el occidente del país y allí (7) _____ (ver) la gran variedad de animales y plantas tropicales que existen. Ahora bien, para los amantes de la naturaleza, el lugar ideal está fuera del continente, en las islas Galápagos. Dudo que (8)_____ (existir) un lugar en el mundo tan interesante como éste. Espero que las personas de otros países (9) _____ (venir) a visitarnos y así (10)_____ (poder) comprobar que no exagero cuando hablo de mi país.

Indirect commands

10-15   Las órdenes de mis padres. Your parents are going out tonight. Tell us what they want your brothers to do.

MODELO: los gemelos: lavarse los dientes
Que se laven los dientes.

1. Los gemelos:

   bañarse a las 8:00 p.m. _____

   acostarse antes de las 9:00 p.m. _____

2. Valeria:

   no hablar por teléfono _____

   tomar leche con la cena _____

3. Luis:

   hacer la tarea _____

   no mirar televisión _____

10-16   Sugerencias. You are trying to help your family and friends to find a solution for the following situations. What do you suggest they do?

MODELO: Dora quiere aprender a hacer salteñas bolivianas.
Que lea la receta de la página 335.

1. Tu amigo sacó una "D" en el examen.

   _____

2. El Sr. Morales invitó a su jefe a cenar a su casa.

   _____

3. Tu prima está muy gorda.

   _____

4. Cecilia quiere saber más sobre Paraguay.

   _____

5. A tu amigo le gusta tu hermana.

   _____

10-17   El antipático. Your neighbor is very sarcastic. Write his replies to these requests. Use direct object pronouns.

MODELO: Levanta la mesa (Supermán)
              ¿Ayudas a Pedro a levantar la mesa?
              No, que la levante Supermán.

1. ¿Vas a preparar la cena? un chef de la televisión?

_____

2. ¿Vas a jugar un partido de básquetbol con tus amigos? (Kobe Bryant)

_____

3. Come las espinacas. (Popeye)

_____

4. Compra un impermeable. (Columbo)

_____

5. Arregla (*Fix*) el lavaplatos. (el plomero)

_____

MOSAICOS

A leer

10-18   Una dieta sana. One of your grandchildren, who is addicted to junk food, has decided to change his eating habits. He asks your advice regarding ways to change his diet. Give an example of each of the following food groups and specify either **how he should prepare the food** or **how much he should eat.**

1. Productos lácteos

_____

2. Pan y cereales

_____

3. Frutas

_____

4. Verduras

_____

5. Carne y pescado

10-19 La cocina hispana. Read the following article and, then, do as indicated.

La cocina en el mundo hispano

La cocina del mundo hispano posee varias características semejantes, heredadas de la cocina de España. La cocina española se caracteriza por el uso del arroz y el azafrán[1], los mariscos y pescados y el ajo. Se dice que el plato clásico nacional español es el cocido[2]. Sin embargo, éste varía de región a región e incluso recibe nombres diferentes. En España, las numerosas cordilleras y valles contribuyen a la división del país en distintas regiones que mantienen sus propias costumbres y tradiciones, incluidas las culinarias. Se puede afirmar, entonces, que una de las características más importantes de la cocina española es su variedad. Uno de los placeres de viajar por España es la oportunidad que se le ofrece al viajero de probar platos y bocadillos diferentes en cada lugar.

Con el descubrimiento y la colonización de América, la cocina española pasa a este continente, se pone en contacto con la cocina de las distintas culturas indígenas y sufre un proceso de adaptación. En primer lugar, muchos de los ingredientes de los platos españoles no existían en América, y la dificultad de las comunicaciones impedía que se pudieran obtener con regularidad. Esto obligó a los españoles a sustituir esos ingredientes por otros semejantes. En segundo lugar, los españoles probaron platos típicos de las culturas indígenas —preparados con productos desconocidos en Europa como el maíz, la papa y el tomate— y estos platos influyeron en la cocina española.

Si en España la topografía influyó en la diversidad culinaria del país, el mismo fenómeno, pero en una escala mucho mayor, ocurrió en América. La existencia de diferentes pueblos indígenas con una gran variedad de culturas, y las barreras naturales formadas por ríos, montañas, selvas y desiertos, contribuyeron a la división y subdivisión del mundo hispanoamericano. Dentro de cada una de estas comunidades va a desarrollarse una cocina con características propias, y aunque en términos generales se habla de una cocina mexicana, colombiana, peruana, boliviana, etc., lo cierto es que las diferentes regiones de estos países tienen, hasta cierto punto, su propia cocina.

Entre las cocinas hispanoamericanas, la cocina mexicana goza de una gran fama mundial. Uno de sus platos más típicos, la tortilla, se remonta a la época de los aztecas. Hoy en día, hay máquinas que hacen las tortillas, pero en algunos lugares apartados, muchas mujeres todavía preparan y cocinan las tortillas con los mismos utensilios que se usaban hace más de seis siglos. Para realizar esta labor lenta y pesada, la mujer se arrodilla[3] detrás de una piedra rectangular llamada metate, donde coloca el maíz hervido y lo muele pasándole por encima un cilindro de piedra. Cuando la masa tiene la consistencia deseada, toma una pequeña porción y con las palmas de las manos le da la forma de un círculo. Después cocina las tortillas en el comal, un disco de barro colocado sobre el fuego. Como en América no existía el trigo[4], la tortilla era para los aztecas algo similar al pan para los europeos. Pero además, las tortillas se usaban como cubiertos[5], ya que los aztecas no conocían esos instrumentos. Se colocaban pedacitos de carne, frijoles, etc., sobre las tortillas, se enrollaban y se comían. Estos platos son, con algunas variaciones, los tacos y las enchiladas ya bastante bien conocidos en los Estados Unidos.

[1] *saffron*   [2] *stew*   [3] *kneels*   [4] *wheat*   [5] *cutlery*

Cuando los españoles llegaron a América del Sur, el Imperio Inca se extendía desde el Ecuador hasta la parte norte de Chile. La papa era entonces, y todavía es, un elemento básico en la dieta de estas regiones. Una gran variedad de platos como las papas chorreadas de Colombia y las papas a la huancaína del Perú, constituyen un ejemplo más de la unión de la cocina española y la indígena: la papa —producto americano— y el queso, que los españoles les enseñaron a preparar a los indios.

Más al sur, Chile y la Argentina ofrecen dos tipos de cocina diferentes. En las costas de Chile existe una riqueza extraordinaria de pescados y mariscos debido a la corriente fría del Pacífico, y se puede decir que es el país hispanoamericano que consume más productos del mar. En cambio, en la Argentina la carne es el producto básico pues la pampa, esa gran extensión de tierra llana y fértil, constituye el medio ideal para el desarrollo de una ganadería[6] de primera calidad.

Las comidas de los pueblos son parte de su cultura. La variedad y la calidad de la cocina de España e Hispanoamérica muestran un aspecto más de la riqueza de la cultura hispana.

[6] *cattle*

A. After reading the article, write **C** (**cierto**) or **F** (**Falso**) next to each statement. If statement is **F** (**Falso**), correct the information.

1. _____ La cocina de América tiene mucho en común con la española.

_____

2. _____ Se dice que el cocido es el plato nacional de México.

_____

3. _____ Es evidente que la topografía española influye en la cocina del país.

_____

4. _____ Al llegar los españoles a América, las culturas indígenas tuvieron que adaptar su cocina a la de España.

_____

5. _____ Se puede afirmar que la cocina hispanoamericana es una sola.

_____

6. _____ La tortilla de maíz es de origen español.

_____

7. _____ Los españoles trajeron la papa a América.

_____

8. _____ La carne es un producto importantísimo en la cocina de Chile.

_____

B. Find the following information in the article:

1. Cuatro productos usados en la cocina española:

    _____

2. Expresión que significa "relacionada con la cocina":

    _____

3. Tres productos alimenticios indígenas desconocidos en Europa:

    _____

4. Nombre del utensilio donde se prepara la tortilla de maíz:

    _____

5. Lugar donde se cocina la tortilla:

    _____

6. Dos ejemplos de platos de América que reflejan la influencia de la cocina española
    e indígena. Indique el país donde se preparan:

    _____

C. In the article, find the noun associated with the following verbs:

1. dividir: _____

2. acostumbrar: _____

3. descubrir: _____

4. colonizar: _____

5. procesar: _____

6. adaptar: _____

7. existir: _____

8. variar: _____

D. Una receta con historia. You are a member of an indigenous community in a remote village in Mexico. A famous anthropology professor —interested in helping preserve information on the eating habits of the various indigenous groups in America— is coming to learn more about the eating habits of your community. To that end, he is currently gathering recipes from any indigenous group of Latin America. Help him with the recipe of homemade *tortillas* that appears in the article above. Remember to spell out the information in the format of a recipe.

_____

_____

_____

_____

_____

_____

_____

_____

_____

10-20 **Eres lo que comes.** The friend who asked your advice regarding *una dieta sana* has been unable to maintain the diet. Finally, he/she decides to visit a nutritionist, who gives him/her strict instructions as to what to eat or not to eat. In the role of the nutritionist, write down five specific instructions for your friend. You may use verbs like: **desear, pedir, preferir,** etc. Do not repeat verbs.

MODELO: *Si deseas perder peso, te recomiendo que bebas leche descremada.*

1. _____

2. _____

3. _____

4. _____

5. _____

A escribir

10-21   **Mi receta favorita.** A friend has asked you to write your favorite recipe in Spanish (ingredients and cooking instructions). When writing recipes in Spanish you may use commands (e.g., **cocine el arroz**), or a **se** + verb construction (**se cocina el arroz**), but you must be consistent in your choice.

10-22   Consejos. Your cousin Bernardo likes one of his co-workers very much and wants to ask her out to dinner. He wants you to help him plan a perfect night. Write him a letter giving him advice.

a) Suggest that he invite her to dinner at his home and that he cook for her.

b) Suggest that he cook your favorite recipe (from **10-21**).

c) Tell him what you expect him to do/ or not do before, during, and after the date.

d) Talk about what you think he should/should not do, or what you doubt/do not doubt he will do to be successful.

e) Make sure your cousin knows what is really important or necessary on a date. You may need to use some of the phrases in the list.

Aconsejar que. . .	Recomendar que. . .	Sugerir que. . .	Ojalá que. . .
Es importante que. . .	Esperar que. . .	Necesitar que. . .	Tal vez. . .
(No) Creer que. . .	(No) Dudar que. . .	Querer que. . .	Quizás. . .

_____

_____

_____

_____

_____

_____

_____

_____

_____

_____

_____

_____

_____

ENFOQUE CULTURAL

10-23   Indicate if the following statements are **true** (cierto) or **false** (falso) by writing **C** or **F** in the spaces provided, according to the information given in the **Enfoque cultural** on pages 355-357.

1. _____   En general, hay muchos mercados artesanales en los países hispanos.

2. _____   Hay menos mercados artesanales en los países donde gran parte de la población es indígena.

3. _____   Los artesanos son muchas veces los vendedores de sus productos en los mercados.

4. _____   Los precios en los mercados artesanales son más altos que en las tiendas y en los centros comerciales.

5. _____   El Mercado de Otavalo es uno de los mercados más conocidos de Ecuador.

6. _____   En los mercados al aire libre no se venden hierbas medicinales.

7. _____   En los mercados artesanales y en los mercados al aire libre es difícil encontrar productos de calidad a precios económicos.

8. _____   Para decir que un alumno estudia mucho, los ecuatorianos usan la expresión "es buena nota".

9. _____   Una expresión boliviana que usan los padres cuando están enojados porque un hijo pequeño hizo algo malo es: "Te voy a dar una samba canuta."

10. _____   Para decir que una persona es perezosa, en Paraguay dicen que es "caigue".

Continued on next page.

10-24   Ecuador, Bolivia y Paraguay. Answer the following questions on Ecuador, Bolivia and Paraguay. If in doubt, read the section on these three countries on pages 356-357 of the **Enfoque cultural.**

1. Escriba el nombre de la capital de cada uno de estos países.
   a. Ecuador   _____
   b. Bolivia   _____
   c. Paraguay   _____

2. ¿Dónde están las Islas Galápagos? ¿Por qué son famosas estas islas?

   _____

   _____

3. ¿Cuál es el lago más alto del mundo? ¿Qué países lo comparten?

   _____

4. ¿Cuáles son los dos idiomas oficiales de Paraguay?

   _____

Lección 11

La salud y los médicos

A PRIMERA VISTA

11-1   El cuerpo humano. While studying for an anatomy class, you decide to classify parts of the body into three categories: head, trunk, and extremities. Complete the chart with the words in the list.

cintura	nariz	hombro	brazo	pie
rodilla	pierna	ceja	mano	muñeca
cadera	cuello	tobillo	boca	ojo
oreja	dedo	pelo	frente	espalda

CABEZA	TRONCO	EXTREMIDADES

11-2   ¿Qué es? Read each statement and then write the part of the body described.

1. Es el líquido rojo esencial para vivir. _____

2. Digiere la comida. _____

3. Nos permite escuchar la música. _____

4. Mueve la sangre por el cuerpo. _____

5. Los necesitamos para respirar. _____

6. Sostiene *(holds)* la cabeza. _____

7. Conecta la mano con el brazo. _____

8. Es una articulación *(joint)* en el brazo. _____

9. Es una articulación en la pierna. _____

10. Podemos ver con estos órganos. _____

11-3   En la consulta del médico. Complete the chart by filling in one symptom and remedy for each illness.

ENFERMEDAD	SÍNTOMA	REMEDIO
Laringitis		
Gripe		
Indigestión		
Anemia		
Tensión arterial alta		

11-4   Las recetas del médico. Read the following problems, and then prescribe a remedy or medication for your patients. Write your instructions in the forms below. Use formal commands and/or the subjunctive when possible.

1. El paciente tiene una infección en la garganta.

Dr. _____

Nombre _____   Fecha _____

Dirección _____

Instrucciones:

Firma _____

2. La paciente tiene un dolor de cabeza muy fuerte y es alérgica a las aspirinas.

Dr. _____

Nombre _____   Fecha _____

Dirección _____

Instrucciones:

Firma _____

3. El paciente está bajo mucha presión en el trabajo y no puede dormir ni comer bien.

Dr. _____

Nombre _____ Fecha _____

Dirección _____

Instrucciones:

Firma _____

4. La paciente tiene gripe y está tosiendo mucho.

Dr. _____

Nombre _____ Fecha _____

Dirección _____

Instrucciones:

Firma _____

11-5 **Preguntas personales.** Answer these questions about your health.

1. ¿Tiene usted buena o mala salud?

_____

2. ¿Con qué frecuencia ve usted al médico?

_____

3. ¿Fuma usted? ¿Quiere dejar de *(stop)* fumar?

_____

4. ¿Tiene alergias? ¿A qué cosas es alérgico/a?

_____

5. ¿Qué come usted para mantenerse sano/a *(healthy)*?

_____

6. ¿Qué hace usted para estar en buenas condiciones físicas?

_____

EXPLICACIÓN Y EXPANSIÓN

Síntesis gramatical

1. The subjunctive with expressions of emotion

Me alegro de que **te sientas** mejor.	*I'm happy you're feeling better.*
¡Qué lástima que no **puedas** ir!	*What a shame you can't go!*

2. The equivalents of English *let's*

Vamos/No vayamos + a + *infinitive*		
Nosotros form of subjunctive:	**Hablemos.**	*Let's talk.*

3. Informal commands

	PRESENT INDICATIVE	AFFIRMATIVE *TÚ* COMMAND
llamar:	llamas	llama
leer:	lees	lee
escribir:	escribes	escribe

	NEGATIVE *TÚ* COMMAND
llamar:	no llames
leer:	no leas
escribir:	no escribas

4. *Por* and *para*

	por	*para*
MOVEMENT	through or by	toward
TIME	duration	deadline
ACTION	reason/motive	for whom

5. Additional uses of *por* and *para*

por

• exchange/substitution:	Pagué $10 **por** la medicina.	*I paid $10 for the medicine.*
• unit/rate:	Camina 4 kms. **por** hora.	*He walks 10 kms. per hour.*
• means of transportation:	Van a ir **por** tren.	*They're going to go by train.*
• object of an errand:	Van a ir **por** pan.	*They're going to pick up bread.*

para

• judgement:	**Para** mí, la aspirina es mejor.	*For me, aspirin is better.*
• intention/purpose:	Fue **para** comprar aspirinas.	*He went to buy aspirins.*
(with infinitive)		

6. Relative pronouns

que	persons or things
quien(es)	persons only

The subjunctive with expressions of emotion

11-6 Opiniones de mi madre. You are at Estela's home and hear this conversation between her and her mother. Fill in the blanks using the infinitive, subjunctive, or indicative forms of the verbs in the list.

terminar	divertirse	pensar	salir
estar	tener	ser	ir

— Mamá, José quiere que (1) _____ a la discoteca con él el sábado.

— ¡Qué bueno, Estela! Me alegro de que (2) _____ con él y no con Rolando.

— ¿Por qué, mamá? Rolando es un chico muy bueno.

— Sí, sí, yo sé que (3)_____ un chico bueno y responsable, pero tú eres mayor que él.

— ¡Ay, mamá, eres muy anticuada *(old-fashioned)*! Además, por el momento, me encanta

   (4)_____ soltera.

— ¡Perfecto! Es mejor que (5) _____ tus estudios antes de casarte.

— Sí, mamá, no te preocupes. Siento que tú y papá no (6) _____ más paciencia y

   (7) _____ tanto en mi futuro.

— Está bien, Estela. ¡Ojalá que (8) _____ mucho con José el sábado!

11-7 **En las montañas.** You have invited a friend to spend a week with you and your family in the mountains. Tell your friend what your father likes and dislikes about what you and your friends normally do. Write sentences according to the model.

MODELO: le / molestar / fumar
Le molesta que fumemos.

1. le / gustar / caminar / mucho

   _____

2. temer / gastar mucho / pistas de esquí

   _____

3. le / encantar / cantar / y / bailar / con / familia

   _____

4. le / molestar / hacer / muchas llamadas / teléfono

   _____

5. alegrarse de / preparar / comida cubana

   _____

11-8 **Las emociones.** Silvia's mother is very emotional. Describe what she says about these people by combining one item from each column.

MODELO: *Ileana se alegra de que nosotros estemos a dieta.*

A	B	C	D
Dorotea	alegrarse de	mis hijas	tener catarro
mis padres	encantar	mi hermana	ir al médico
tú	sentir	mi abuelo	estar en el hospital
yo	molestar	tú	fracturarse la pierna
Ileana	gustar	nosotros	hacer ejercicio
	temer	yo	estar a dieta
			salir del hospital
			tener fiebre

1. _____
2. _____
3. _____
4. _____
5. _____
6. _____

The equivalents of English let's

11-9   El primer año en la universidad. You and your friend have just rented an apartment and are deciding what your schedule will be like this first year as roommates. Choose what you will do from the options given.

MODELO: ¿Vamos a sacar la basura por la mañana o por la noche?
Saquemos la basura por la mañana.

1. ¿Vamos a desayunar en el apartamento o en la cafetería?

   _____

2. ¿Vamos a limpiar el apartamento los viernes o los sábados?

   _____

3. ¿Vamos a lavar la ropa por la tarde o por la noche?

   _____

4. ¿Vamos a salir a comer una vez o dos veces por semana?

   _____

5. ¿Vamos a levantarnos a las 7:00 o las 8:00?

   _____

6. ¿Vamos a acostarnos antes o después de la medianoche?

   _____

11-10   El apartamento. Use some of the following verbs to say what you and your room-mate plan to do to fix up your apartment.

MODELO: empezar
Empecemos con el baño.

limpiar	sacar	traer	poner	decorar
vender	abrir	comprar	pintar (*to paint*)	mover

1. _____
2. _____
3. _____
4. _____
5. _____

Informal commands

11-11   El ejercicio. You must explain what to do to someone who is just starting to exercise regularly. Choose the best response for each item.

1. El lugar:
   a) Ve a la biblioteca.
   b) Ve al gimnasio.
   c) Ve al baño.

2. Antes de hacer ejercicio:
   a) Come mucho.
   b) Nada en la piscina.
   c) Haz movimientos para calentar el cuerpo.

3. Para evitar (*avoid*) accidentes:
   a) Habla durante los ejercicios.
   b) Empieza con movimientos fáciles.
   c) No practiques con un/a compañero/a.

4. Los ejercicios:
   a) Haz ejercicios muy difíciles la primera vez.
   b) Haz ejercicios intensos.
   c) Haz cada movimiento diez veces por lo menos.

5. El tiempo:
   a) No practiques demasiado la primera vez.
   b) Haz los ejercicios rápido.
   c) Lleva tu reloj para ver la hora.

6. Mientras haces los ejercicios:
   a) Respira por la boca.
   b) No respires.
   c) Respira por la nariz.

11-12   En un hospital. You are a new young nurse at the hospital. Write down what the person in charge of the training tells you to do by changing the italicized words to familiar commands.

MODELO: Se lleva al paciente a su cuarto.
Lleva al paciente a su cuarto.

1. Se le toma la tensión arterial.

_____

2. Se llama al médico.

_____

3. Se siguen las instrucciones del médico.

_____

4. Se le dan las medicinas que recetó el médico.

_____

5. Se le sirve una cena muy ligera (*light*) al paciente.

_____

11-13   Contradicciones. Paquito's older sister is always telling him what to do before he leaves for school. Change her commands to the negative form and make any necessary changes.

1. Vístete rápido.

   _____

2. Come el cereal.

   _____

3. Añádele leche fría al cereal.

   _____

4. Ponle mantequilla al pan.

   _____

5. Lávate los dientes después.

   _____

11-14   La primera cita (*date*). Tonight is your best friend's first date with a new love interest. Use four affirmative and four negative commands to give advice to your friend.

MODELOS: *Habla de cosas interesantes.*
            No llegues tarde.

Lo que debe hacer:

1. _____

2. _____

3. _____

4. _____

Lo que no debe hacer:

1. _____

2. _____

3. _____

4. _____

Por and *para*

11-15   ¿Cambiamos? At a garage sale you decide that rather than offering to buy items, you would prefer to trade. Ask the sellers if they will trade the items you want for what you have to offer.

MODELO: una bicicleta / el estéreo
Te cambio mi bicicleta por tu estéreo.

LO QUE VENDEN EN EL GARAJE	LO QUE USTED TIENE
una chaqueta	una mochila
un diccionario	una silla
una aspiradora	un televisor
una guitarra	una lámpara
una grabadora	un reloj

1. _____

2. _____

3. _____

4. _____

5. _____

11-16   ¿Por o para? Complete these sentences with **por** or **para** as appropriate.

1. Fui a ver al médico (por, para) el dolor de garganta y la fiebre que tenía.

2. El médico era inglés, pero (por, para) ser extranjero hablaba español muy bien.

3. Después que me examinó, me recetó un antibiótico y fui (por, para) el antibiótico a la farmacia.

4. En la farmacia pagué 40.00 pesos (por, para) el antibiótico.

5. Cuando salí de la farmacia tomé un taxi (por, para) ir a casa.

6. Cuando llegué a casa me acosté (por, para) descansar.

11-17   Un viaje a la República Dominicana. Fill in the blanks with **por** or **para** depending on the context.

Mi esposa Elena y yo salimos (1) _____ la República Dominicana el lunes

próximo. Vamos (2) _____ avión y debemos llegar a Santo Domingo

(3)_____ la tarde. Vamos a estar en el avión tres horas, lo que me parece un viaje

corto (4) _____ ir a una isla en el Caribe. Pero como el avión va a seiscientas

millas (5) _____ hora podemos llegar en tan poco tiempo. Realmente no tenemos

mucho dinero (6) _____ hacer el viaje, pero lo quiero hacer (7) _____

Elena. Ella es dominicana y no ha visto a su familia (8) _____ más de cinco años.

Ella tiene muchos regalos (9) _____ sus padres y hermanos y

(10)_____ eso hay que llevar muchas maletas. En Santo Domingo quiero ir

primero al Alcázar de Colón (11) _____ ver el lugar donde vivió. Después voy a

caminar (12)_____ las calles de la parte antigua de la ciudad. Va a ser un viaje

muy interesante, pero tengo que volver (13) _____ el día 25 porque tengo que

terminar un proyecto muy importante en el trabajo.

11-18   Información personal. Answer these personal questions using **por** and **para**.

1. ¿Cuántas veces por año va Ud. al médico?

    _____

2. ¿Prefiere hacer ejercicio por la mañana o por la noche?

    _____

3. ¿Cuánto dinero paga usted por una consulta con su médico?

    _____

4. ¿Para qué va usted a la farmacia?

    _____

5. ¿Para quién son las recetas que lleva usted a la farmacia?

    _____

Relative pronouns

11-19   **Autorretrato** (*Self-portrait*). Complete the following statements about different aspects of your life.

MODELO: Soy una persona que *piensa mucho las cosas.*

1. Soy de una familia que _____.

2. Vivo en una ciudad que _____.

3. Prefiero las ciudades que _____.

4. Soy un/a estudiante a quien _____.

5. Respeto a las personas que _____.

6. Me gusta mucho la comida que _____.

11-20   **Después de la crisis.** You are in the hospital recovering from an operation. As you walk along the hallway with your friends, you point out the different people you have met during your stay. Fill in the blanks with the appropriate pronoun: **que, quien,** or **quienes.**

1. La señorita_____ está allí es mi enfermera.

2. Ese señor alto y rubio a _____ ven hablando con aquella señora es mi médico.

3. Esas señoras a _____ les están dando unos papeles trabajan de voluntarias en este piso.

4. El otro doctor _____ está con la enfermera es muy amigo de mi padre.

5. Ahora conozco a casi todas las personas _____ trabajan en este piso.

11-21   Preferencias personales. A friend has described different people to you as potential dates. Indicate which one you prefer using **que** or **quien**.

MODELO: alto/a y serio/a   bajo/a y simpático/a
*Prefiero salir con el chico que es bajo y simpático (con
la chica que es baja y simpática).*

1. simpático/a y no tiene dinero   antipático/a y tiene mucho dinero

_____

2. le gusta bailar y viajar   le gusta cantar y tocar la guitarra

_____

3. intelectual pero sin sentido del humor   normal pero con un buen sentido del humor

_____

4. le interesan los autos y los deportes   le interesan los animales y el campo

_____

MOSAICOS

A leer

11-22   El menú más sano. For each pair of foods mentioned indicate which is healthier by marking an X in the space provided.

1. _____ el pan blanco   _____ el pan integral

2. _____ el pescado frito   _____ el pescado asado

3. _____ la mostaza   _____ la mayonesa

4. _____ un pastel   _____ una naranja

5. _____ la mantequilla   _____ el aceite de oliva

6. _____ el yogur   _____ el helado

11-23   **Prevención de un ataque.** Read the article on how to stay healthy and answer the questions that follow.

Prevenga un ataque al corazón

Para disfrutar de una vida más larga y mejor, se deben disminuir o eliminar ciertos vicios y se deben comer alimentos más sanos.

1.   El tabaco aumenta el ritmo cardíaco en veinte pulsaciones por minuto. El riesgo continúa presente en los ex-fumadores durante los primeros cinco años. Por eso, evite el tabaco.

2.   El *colesterol*, que se encuentra en las grasas de origen animal, como en cremas, charcutería[1], carnes en salsas y mantequilla, es otro factor de alto riesgo para la salud. Las carnes con más materia grasa se presentan en este orden: cerdo y cordero[2] (20%), res (2-10%), ternera[3] (2-10%), conejo[4] (5-10%) y las aves sin piel (no más de 2-8%). También es necesario reducir los aceites o sustituir los comunes por los de soja o maíz.

Comer pescado, verduras y frutas es lo recomendado, porque no perjudican las arterias. No es bueno consumir huevos en exceso, ya que la yema[5] tiene un alto porcentaje de colesterol. Afortunadamente en la actualidad el colesterol se puede combatir con medicamentos eficaces, entre ellos, al parecer, la aspirina.

3.   El sobrepeso y la inactividad obligan al corazón a trabajar más. Para ello, nada mejor que el deporte y una dieta sana. Se recomienda que las personas sedentarias practiquen algún deporte progresivamente. Aventurarse a un partido de tenis extenuante, por ejemplo, puede tener efectos peligrosos y a veces fatales. Agitar demasiado el corazón causa *hipertensión*. El corazón realiza un doble trabajo. Manténgase activo, coma bien y cuide su peso.

4.   El abuso de la sal en las comidas, el alcohol y el estrés también pueden ser causantes de un ataque. Acostúmbrese a cocinar o comer con poca sal. Usted notará que al hacerlo bajará de peso y se sentirá saludable. Asimismo no cometa excesos con la bebida. Se piensa que un vaso de vino con la cena o comida no hace daño a su salud.

Otro riesgo para su corazón es el estrés. Este puede ser provocado por el exceso de trabajo, problemas en casa, en el trabajo o en los estudios. Aprenda a mantenerse en calma y a relajarse. Trate de ignorar lo que le produce ansiedad y, por consiguiente, estrés. Es importantísimo que usted recuerde que su vida vale más que todo lo demás.

---

1.   *cold cuts*   2.   *lamb*   3.   *veal*   4.   *rabbit*   5.   *yolk*

Indicate whether each of the following statements about the article is true or false by writing C (**cierto**) or F (**falso**) in the space provided. If a sentence is false, write a corrected statement in the space provided.

1. _____ El ritmo del corazón se acelera cuando una persona fuma.

_____

2. _____ Las carnes que contienen menos colesterol son la de ternera y la de ave sin piel.

_____

3. _____ Se piensa que la aspirina puede controlar el colesterol.

_____

4. _____ La yema es la parte más saludable del huevo.

_____

5. _____ La práctica de los deportes ayuda a evitar los ataques al corazón.

_____

6. _____ La sal y el alcohol en grandes cantidades tienen efectos positivos en el cuerpo.

_____

11-24 **Para completar.** Using the information from the article on the previous page, circle the statement that best completes each of the following sentences.

1. Si una persona fuma, el. . .
   a. riesgo de un ataque es menor.
   b. corazón palpita más rápido.
   c. riesgo de un ataque es seguro durante cinco años.
2. Entre las comidas que más se recomiendan está. . .
   a. el pescado.
   b. el huevo.
   c. el cerdo.
3. Ahora se dice que la aspirina es buena para. . .
   a. controlar el apetito.
   b. bajar de peso.
   c. combatir el colesterol.
4. Para disminuir el estrés es bueno. . .
   a. comer más sal y no hacer ejercicio.
   b. evitar el trabajo.
   c. tratar de no darle mucha importancia a los problemas.

11-25   Ud. es médico. Your patient complains of exhaustion, chest pain, a rapid heartbeat, and shortness of breath. Keep in mind that this patient smokes one pack of cigarettes per day, and eats bacon and eggs each morning. Design **el mejor remedio** for this patient using phrases like: **es evidente que. . ., es importante que. . ., es dudoso que. . ., es vital que. . ., (no) es bueno que. . .,** etc.

_____

_____

_____

_____

_____

_____

_____

_____

A escribir

11-26   Preparación. Read this article about the importance of a good diet during childhood and, then, do as indicated.

NUTRICIÓN

Un niño obeso tiene más probabilidades de ser un adulto obeso. Sin necesidad de ponerlo a dieta ni de imponerle normas estrictas, corrija su alimentación disminuyendo el consumo de azúcares y de grasas.

• En lugar de comprar yogures con sabores o con frutas, que contienen una mayor cantidad de azúcar, elija los naturales y añádales trozos de frutas frescas de la temporada.

• No abuse de las frituras tales como las papas fritas. En su lugar, acostumbre al niño a comer fruta o verduras.

• Si le encantan los helados, en lugar de comprarlos, hágalos usted misma en casa, utilizando leche o jugos y frutas frescas. De esta forma, controlará la calidad de lo que come.

• Si no le gusta la leche, trate de incorporarla en las salsas, las pastas, los purés y en cualquier plato que lo permita, para que este alimento no falte en su nutrición.

---

1. Indique el efecto de la obesidad infantil.

   _____

2. Diga de qué manera se puede ayudar a un niño obeso a bajar de peso:

   _____

3. Indique de qué manera se pueden consumir saludablemente los siguientes alimentos:
   a. la leche _____
   b. yogures _____

11-27   Manos a la obra. You work for the Health Department and you have to give a speech to a group of mothers about the role nutrition plays in the health of children. To prepare your speech: a) read the article from the previous exercise again, b) find the main idea and the subtopics, c) summarize the information in the article, d) add two subtopics of your own that you could use in giving advice to the mothers, and d) write your speech. You may use the expressions in the list.

Para evitar. . . (*to avoid*)   Es importante/necesario que. . .

Asegúrese de que. . . (*make sure that*)   Espero que. . .

_____

_____

_____

_____

_____

_____

_____

_____

_____

_____

_____

_____

_____

_____

ENFOQUE CULTURAL

11-28 Indicate if the following statements are true (**cierto**) or false (**falso**) by writing **C** or **F** in the spaces provided, according to the information given in the **Enfoque cultural** on pages 389–391.

1. _____ En la mayoría de los países hispanos los centros de salud y los hospitales públicos son gratis.

2. _____ En las clínicas y hospitales privados hay que pagar por la atención médica en los países hispanos.

3. _____ Las farmacias hispanas generalmente están en los mercados y almacenes grandes.

4. _____ En todas las farmacias hispanas hay que tener recetas para comprar antibióticos.

5. _____ En las farmacias nunca venden artículos de belleza.

6. _____ Según la cultura popular, los curanderos pueden curar muchas enfermedades.

7. _____ Las plantas medicinales se usan para el tratamiento de algunas enfermedades.

8. _____ La infusión de manzanilla es muy popular para el tratamiento del cáncer.

9. _____ Los médicos hispanos reciben una buena preparación para ejercer su profesión.

10. _____ La tecnología está tan avanzada en los países hispanos como en los Estados Unidos.

11. _____ Para decir que algo es verdad, los dominicanos usan la expresión "eso es puro aguaje."

12. _____ En Cuba se usa la expresión "fulas" para referirse a los dólares.

Continued on the next page.

11-29   La República Dominicana y Cuba. Answer the following questions on the Dominican Republic and Cuba.   If in doubt, read the section on these two countries on pages 390–391 of the **Enfoque cultural.**

1. ¿Cuál es la capital hispana más antigua del continente americano?

_____

2. ¿Dónde está el Museo de las Casas Reales y qué se puede ver allí?

_____

3. ¿Cuál es la música típica de la República Dominicana?

_____

4. ¿Cuál es la ciudad más grande del Caribe?

_____

5. ¿De qué tipo de arquitectura son buenos ejemplos la Plaza de la Catedral y el Castillo del Morro en la capital de Cuba?

_____

6. ¿Qué planta muy importante en Cuba se cultiva en los alrededores de la zona del valle de Viñales?

_____

Lección 12

Nombre: _____

Fecha: _____

Las vacaciones y los viajes

A PRIMERA VISTA

12-1   Asociaciones. Match the words in the left column with the appropriate phrases in the right column.

1. el avión   _____ para poner la ropa cuando viajamos

2. la sala de espera   _____ para viajar por tierra

3. la maleta   _____ para descansar o leer, en una estación o un aeropuerto

4. el autobús   _____ para viajar en el mar

5. el barco   _____ para viajar por el aire

12-2   Las definiciones y los viajes. Read each definition and identify what is being described.

1. Documento que una persona recibe en su país
    para poder viajar a otros países.   _____

2. Tarjeta que se necesita para abordar un avión.   _____

3. Documentos que las personas compran en un banco
    para usar como dinero cuando viajan.   _____

4. Lugar donde las personas que vienen de otros
    países declaran lo que traen.   _____

5. Tipo de boleto que se necesita para viajar a un país
    y regresar al punto de partida.   _____

12-3   Un viaje en auto. Complete the following paragraph about a car trip.

Luis Trelles tiene que hacer un viaje de negocios y decide ir en coche. El día de la salida pone

las maletas en el (1)_____. Después monta en el coche, se sienta frente al

(2)_____, se pone el (3)_____ y enciende (*he starts*) el

(4)_____. No puede ver bien porque el (5) _____ está sucio, así que lo

limpia antes de salir a la carretera. Después de salir de la ciudad, Luis va a una estación de

servicio para ponerle agua al (6)_____, aire a las (7)_____ y

(8) _____ al coche.

12-4   Preparación. Your family is driving through different states during the summer. Tell
your father what you and your sister did to the car in preparation for the trip. Use the
preterit in your answers.

1. lavar / coche

_____

2. pasar / aspiradora / las alfombras

_____

3. limpiar / maletero

_____

4. cambiar / aceite

_____

5. poner / aire / llantas

_____

6. llenar / tanque de gasolina

_____

12-5   En el hotel. Read the following definitions and write the words they describe.

1. Un cuarto para una sola persona._____

2. Lugar adonde el cliente va para pedir información
   cuando llega al hotel.   _____

3. Objeto que se necesita para abrir la puerta de la habitación. _____

4. Lugar donde los clientes guardan objetos de valor. _____

5. Acción de pedir una habitación a un hotel por teléfono,
   fax o correo electrónico.   _____

12-6   Correspondencia. You are writing to a friend about Iris and her fiancé. Complete the sentences with the appropriate words.

El novio de Iris está en una universidad de Costa Rica y los dos hablan por

(1)_____ frecuentemente. Pero hoy Iris le escribió una (2) _____ a su

novio. Cuando la terminó, escribió la dirección en el (3) _____ y fue al

(4)_____ para comprar (5) _____. Después la puso (*put*) en el

(6)_____.

EXPLICACIÓN Y EXPANSIÓN

Síntesis gramatical

1. Affirmative and negative expressions

AFFIRMATIVE		NEGATIVE	
todo	everything	**nada**	nothing
algo	something, anything		
todos	everybody, all	**nadie**	no one, nobody
alguien	someone, anyone, somebody		
algun, (-o, -a)	some, any, someone		
algún, (-os, -as)	several	**ningún, ninguno/a**	no, not any, none
o. . .o	either . . . or	**ni. . .ni**	neither . . . nor
siempre	always	**nunca**	never, (not) ever
una vez	once		
alguna vez	sometime, ever		
algunas veces	sometimes		
a veces	at times		
también	also, too	**tampoco**	neither, not

2. Indicative and subjunctive in adjective clauses

Indicative (known antecedent)

Hay alguien aquí que **habla** ruso.

Busco a la azafata que **va** en ese vuelo.

Subjunctive (non-existent or unknown antecedent)

No hay nadie aquí que **hable** ruso.

Busco una azafata que **vaya** en ese vuelo.

There's someone here who speaks Russian.

I'm looking for the flight attendant who goes on that flight.

There isn't anyone here who speaks Russian.

I'm looking for a flight attendant who goes on that flight.

3. Stressed possessive adjectives

MASCULINE	FEMININE	MASCULINE	FEMININE	
mío	mía	míos	mías	my, (of) mine
tuyo	tuya	tuyos	tuyas	your (familiar), (of) yours
suyo	suya	suyos	suyas	your (formal), his, her, its, their, (of) yours, his, hers, theirs
nuestro	nuestra	nuestros	nuestras	our, (of) ours
vuestro	vuestra	vuestros	vuestras	your (fam.), (of) yours

4. Possessive pronouns

Adjective	¿Tienes la mochila **suya**?
Pronoun	Sí, tengo la **suya**.

5. The future tense

		HABLAR	COMER	VIVIR
yo		hablaré	comeré	viviré
tú		hablarás	comerás	vivirás
Ud., él, ella		hablará	comerá	vivirá
nosotros/as		hablaremos	comeremos	viviremos
vosotros/as		hablaréis	comeréis	viviréis
Uds., ellos/as		hablarán	comerán	vivirán

Affirmative and negative expressions

12-7   Actividades. Using the expressions in the list, tell how frequently you do the following activities.

algunas veces   siempre   a veces   nunca   todos los días

MODELO: ver televisión
              Nunca veo televisión.

1. viajar en autobús

   _____

2. ir de viaje solo/a

   _____

3. visitar lugares históricos

   _____

4. comer en restaurantes elegantes

   _____

5. pasar una semana en las montañas

   _____

6. acostarse a las nueve de la noche

   _____

12-8   Un viaje terrible. Although you had high hopes for a trip, some things went wrong. Describe what did not go as expected, using negative words in your sentences.

MODELO: Creíamos que los vuelos siempre llegaban a tiempo.
              Los vuelos nunca llegaron a tiempo. o
              Los vuelos no llegaron nunca a tiempo.

1. Pensábamos que en el aeropuerto alguien ayudaba a los pasajeros.

   _____

2. Queríamos probar algunos platos típicos.

   _____

3. También queríamos visitar la selva.

   _____

4. Pensábamos conocer muchos lugares interesantes.

   _____

5. Pensábamos que todo iba a salir bien durante el viaje.

   _____

12-9   El optimista y el pesimista. You are an optimist who always sees the positive side of things. Unlike you, your friend is a terrible pessimist who contradicts everything you say. Write what your friend would say in response to these statements about your favorite restaurant.

MODELO: En este restaurante todas las comidas son económicas.
En este restaurante ninguna comida es económica. o
En este restaurante no es económica ninguna comida.

1. Aquí siempre se come bien.

   _____

2. Todos los camareros son muy amables.

   _____

3. Vienen muchas personas conocidas.

   _____

4. También sirven muy bien.

   _____

5. El restaurante siempre está muy lleno.

   _____

12-10   Mi familia. Answer a friend's questions about your family.

MODELO: ¿Tienes algún tío que hable chino?
No, no tengo ningún tío que hable chino. o
Sí, tengo un tío que habla chino.

1. ¿Tienes alguna prima que estudie español en la Universidad de Panamá?

   _____

2. ¿Tu madre o tu padre son panameños?

   _____

3. ¿Tienes algún familiar que viva en Costa Rica?

   _____

4. ¿Hay alguien en tu familia que viaje todos los años a Centroamérica?

   _____

5. ¿Tienes algún hermano que conozca el Canal de Panamá?

   _____

Indicative and subjunctive in adjective clauses

12-11   **Un apartamento en la costa.** Mr. and Mrs. Molina are looking for a condominium to meet the needs of their family: they have two children, ages 2 and 4; the nanny who takes care of their children lives with them. They have extremely stressful jobs, so they need a place where they can relax. Based on the information you have of the Molinas, write five sentences describing what they are looking for. Finally, choose one the condos for them.

PLAYA TAMARINDO

CONDOMINIOS DE LUJO FRENTE AL MAR

Dos tipos de apartamento

Condominio tipo A: 147 m²
- Sala
- comedor
- gran terraza con vista al mar
- 3 cuartos
- 2 baños
- closets grandes
- cocina moderna
- cuarto y baño de servicio

$220.000

Condominio tipo B: 98 m²
- Sala
- comedor
- terraza con vista al mar
- 2 cuartos
- 2 baños
- closets grandes
- cocina, baño de servicio

$175.000

☆ *Zona de juegos infantiles*
☆ *Piscina*
☆ *Antena parabólica*
☆ *Salida directa al mar*

PROYECTO Y CONSTRUCCIÓN
MENÉNDEZ Y CÍA.

Plaza del Mar
Playa Tamarindo
Guanacaste, Costa Rica

MODELO: *Buscan un apartamento que tenga una gran terraza.*

1. _____

2. _____

3. _____

4. _____

5. _____

Apartamento que deben comprar los Molina: _____

12-12   La universidad. Complete these sentences using phrases from the list and your knowledge of your school.

tener computadoras nuevas   jugar en el equipo de fútbol

publicar libros   estudiar en España

donar dinero para una biblioteca nueva   no tener aire acondicionado

1. Hay varios edificios que _____.

2. Tenemos muchos profesores que _____.

3. Necesitamos un laboratorio que _____.

4. El rector (*president*) busca una persona que _____.

5. Conozco a muchas chicas que _____.

12-13   Un crucero. You are talking to a travel agent about a cruise you would like to take. Complete the sentences below using phrases from the list to reflect what the travel agent may say when describing the ships and making your reservations for the cruise.

salir de Miami   tener ventana o terraza

hacer escala en Puerto Rico   ser grande y moderno

pasar por el Canal de Panamá   tener un casino

1. Hay varios barcos que _____.

2. Éstos son barcos que _____.

3. Mis clientes buscan un crucero que _____.

4. Desean un camarote (*cabin*) que _____.

5. Quieren un barco que _____.

12-14   Nueva vida. You won the lottery and your life style is changing! Write down a few of the things you want to do, using the subjunctive.

MODELO: trabajar en una oficina que. . .
Quiero trabajar en una oficina que esté en el Empire State Building.

1. comprar un auto que. . .

    _____

2. viajar en un tren que. . .

    _____

3. conocer a una persona que. . .

    _____

4. comer en restaurantes elegantes que. . .

    _____

5. trabajar en un lugar que. . .

    _____

6. visitar países que. . .

    _____

Possessive adjectives and pronouns

12-15   Mi viaje a Panamá. Your friend is telling you about certain aspects of his trip to Panamá. How would you emphasize your own experience in Panamá in regard to the following issues?

MODELO: Mi pasaje fue muy barato.
El pasaje mío fue muy barato también. o El pasaje mío fue caro.

1. Su amigo: Mi excursión incluye un viaje a las islas San Blas.

    Usted: _____

2. Su amigo: Nuestro hotel está cerca del Casco Viejo.

    Usted: _____

3. Su amigo: Hicimos nuestras reservaciones hace dos meses.

    Usted: _____

4. Su amigo: Mi novia dice que sus boletos costaron 300 dólares.

    Usted: _____

5. Su amigo: Yo compré mis boletos en la agencia El Viajero.

    Usted: _____

12-16   Las vacaciones. Rewrite the following sentences using the form of the possessive adjective that corresponds to the person in parentheses.

MODELO: Las vacaciones en la playa fueron muy especiales. (Juan)
Las vacaciones suyas fueron muy especiales.

1. Mi excursión incluye un viaje por el Canal de Panamá. (tú)

   _____

2. Su hotel está cerca del Paseo las Bóvedas. (yo)

   _____

3. Hicimos nuestras reservaciones hace un mes.(Ramón)

   _____

4. Diego dice que sus boletos costaron $350. (Ana y José)

   _____

5. Susana compró su chaqueta en ese mercado. (Amanda y yo)

   _____

12-17   En el aeropuerto esperando el equipaje. Complete this conversation in the baggage section of an airport with the appropriate possessive form.

ASUNCIÓN: No veo mis maletas. ¡Ah, están allí!

BERTA: No, Asunción, ésas no son (1) _____.

ASUNCIÓN: Sí, son ésas.

SEÑOR: Perdón, señora, está equivocada. Ésas son las maletas (2)_____.

ASUNCIÓN: ¿ (3)_____?

SEÑOR: Mire los números, señora. Son los números (4)_____.

ASUNCIÓN: Lo siento mucho, es que las maletas (5)_____ son iguales a las

   (6)_____.

12-18 **En un viaje.** Answer the following questions using the appropriate form of **el mío, el suyo, el tuyo,** or **el nuestro.**

MODELO: ¿Qué habitación te gusta más, la de Ana o la tuya?
           Me gusta más la suya. o *Me gusta más la mía.*

1. ¿Cuál es más cómodo, nuestro hotel o el de ustedes?

   _____

2. ¿Quieres ir a San José en mi auto o en el de Víctor?

   _____

3. ¿Cuál mapa de Costa Rica prefieres usar, el de Sara o el tuyo?

   _____

4. ¿Te gustan más mis fotos del volcán Irazú o las tuyas?

   _____

5. ¿Vas a usar mi mochila o la de Ana?

   _____

The future tense

12-19 **Un año en Costa Rica.** You have been accepted by an international exchange program and will spend your junior year in Costa Rica. Answer these questions using **sí** and the future tense.

MODELO: ¿Vas a estudiar en San José?
           Sí, estudiaré en San José.

1. ¿Vas a escribir frecuentemente?

   _____

2. ¿Vas a llamar todos los meses?

   _____

3. ¿Vas a viajar a otras ciudades?

   _____

4. ¿Vas a llevar poco equipaje?

   _____

5. ¿Vas a vivir con una familia costarricense?

   _____

6. ¿Vas a salir los domingos?

   _____

12-20   Una carta de la abuela. A friend receives a letter from her grandmother. Fill in the blanks using the future tense of the following verbs.

estudiar	casarse	hacer
ser	depender	empezar
tener	ayudar	dar

Querida nieta:

Me pregunto muchas veces cómo (1) _____ tu vida dentro de unos cuantos años.

Todo (2) _____ en gran parte de ti. Sé que (3) _____mucho hasta

terminar tu carrera. Después de tu graduación, (4)_____ a trabajar y

probablemente (5) _____ con un hombre que tenga una educación similar a la

tuya. Seguramente (6) _____ hijos, pero ya sea con hijos o sin ellos, la vida te

(7)_____ alegrías y tristezas. Te conozco bien, y estoy segura de que siempre

(8)_____ a las personas que estén a tu alrededor y (9) _____ todo lo

que puedas para mejorar su vida.

Recibe un beso y un abrazo de tu abuela

Carmen

12-21   En el año 2050. Write five sentences explaining what —in your view— life will be like in the year 2050. Use the verbs from the list or think of your own.

poder	hacer	tener	salir	poner
viajar	estar	ir	ver	vivir

MODELO: En el año 2050 no habrá que pagar impuestos (*taxes*).

1. _____

2. _____

3. _____

4. _____

5. _____

MOSAICOS

A leer

12-22   Mucho que hacer. You are traveling across the country by plane. In what order do you do the following activities? Start from 1 (first) to 8 (last)

— Busco el asiento apropiado.   _____

— Llego a la sala de espera.   _____

— Llamo al aeropuerto.   _____

— Hago la maleta.   _____

— Tomo un taxi al aeropuerto.   _____

— Compro el boleto para el vuelo.   _____

— Le pido una revista al auxiliar de vuelo.   _____

— Entro al avión.   _____

12-23 **Viajamos por carretera** (*highway*). Read the government's suggestions for people who are planning to travel by car. Then, do as indicated.

**ESTE CAMINO
DEBE RECORRERLO
DOS VECES**

Disfrute lo más que pueda de sus cortas o prolongadas vacaciones. Recuerde que el camino que le trajo hasta aquí es también el camino de regreso a casa, y que al fin del camino hay mucha gente que le espera. Al momento de partir, siga nuestros consejos.

En viajes cortos o largos:
• Inspeccione las partes vitales de su vehículo.
• Abróchese siempre el cinturón.
• Respete los límites de velocidad.
• Mantenga la distancia prudente.
• No pase a otros vehículos sin visibilidad.
• Al menor síntoma de cansancio o fatiga, no maneje.
• Póngase el casco protector si viaja en moto.

LA VIDA ES EL VIAJE MÁS HERMOSO

**Dirección General de Tráfico
Ministerio de Obras Públicas**

Complete the following sentences with the correct verb form.

1. Es importante que un mecánico o usted _____ su vehículo.

2. Según los consejos del gobierno, es importante que todos _____ el cinturón.

3. Usted debe _____ los límites de velocidad.

4. Es peligroso _____ a otro coche si no hay buena visibilidad.

5. El gobierno recomienda que los conductores cansados no _____.

6. Es mejor que una persona _____ el casco si viaja en moto.

12-24   **En mi álbum de fotos.** Your friend has decided to travel to Costa Rica during spring vacation. Knowing that you took a similar trip a few years ago, he/she asks to hear some details of your adventures. The two of you flip through your photo album, and you describe your explorations of the rain forests. Explain your trip as you remember it: How long ago did you go? What was the weather like? What was the countryside like? How long were you there? Why was it a good trip? Then, give your friend three pieces of advice to make his/her travel go more smoothly.

_____

_____

_____

_____

_____

_____

_____

_____

_____

_____

_____

A escribir

12-25 Trabajo y placer. Mrs. González and her husband plan to combine work with pleasure. She has a business meeting in San José, Costa Rica, and her husband decides to go along and visit a local business to buy merchandise for his store in San Antonio. They will stay on for a three-day vacation with their two children, Jorgito and María José. Read the ad from the *Hotel El Paraíso* in San José, Costa Rica, where they are staying, and write five sentences stating what the hotel offers all four of them for work and pleasure.

El Paraíso
★★★★★

Cómo pasarlo bien en San José
En su próximo viaje, quédese en el nuevo Hotel El Paraíso.
Se ofrece alojamiento y servicio de primera:
Hotel 5 estrellas
El hotel pone a su disposición habitaciones de lujo:
con aire acondicionado o televisión satélite
en español e inglés, jacuzzi, piscina, jardines, sala de
ejercicio, sauna, sala de juegos infantiles, mesas de billar y
ping-pong, conexión al Internet y amplio estacionamiento.

Para compañías y particulares también contamos con
salones para eventos especiales
• conferencias, bodas, celebraciones, etc.
• con capacidad para 250 personas.
Si visita El Paraíso por razones de negocios o placer, sólo
nosotros podemos darle el mejor alojamiento y servicio
de 5 estrellas.

**Quédese con nosotros y lo
atenderemos como a un rey**

El Paraíso, San José
Llámenos gratis al: 800-953-2890

Para el trabajo

1. _____

2. _____

Para diversión

3. _____

4. _____

5. _____

12-26   **Mis mejores vacaciones.** Your friend wants to go on vacation. Write him/her a letter describing your last vacation (where you went, with whom, how the place where you stayed was, how the people were, the places you visited, the transportation you used, what you did, how long you were there, how long ago you took this vacation, why it was so good). Suggest that he/she go there. Advise him/her where to stay, what places to visit, what to do or not to do, etc.

_____

_____

_____

_____

_____

_____

_____

ENFOQUE CULTURAL

12-27   **¿Cierto o falso?** Indicate if the following statements are true (**cierto**) or false (**falso**) by writing **C** or **F** in the spaces provided, according to the information given in the **Enfoque cultural** on pages 425-427.

1. _____ La música y el baile son diversiones muy populares en los países hispanos.

2. _____ La diversidad étnica influye en la música del mundo hispano.

3. _____ Generalmente la música indígena es vibrante y muy alegre.

4. _____ Gran parte de la música del mundo hispano tiene influencia africana.

5. _____ La cumbia es un ejemplo de la música de los indígenas de la América del Sur.

6. _____ Las sevillanas y el flamenco son típicos de Panamá.

7. _____ En los países hispanos la música de los Estados Unidos es también popular.

8. _____ En el mundo hispano se conoce a Gloria Estefan como la reina de la salsa.

9. _____ Cuando los panameños dicen que una persona "tiene una pachocha", quieren decir que esa persona es muy rápida.

10. _____ Los costarricenses usan la palabra "maje" para decir que una persona es tonta.

12-28 **¿Qué sabe usted de Panamá y de Costa Rica?** Fill in the blanks with the correct information. If in doubt, read the section on Panamá and Costa Rica on pages 426–427 of the **Enfoque cultural.**

La Ciudad de Panamá, capital del país del mismo nombre, tiene lugares muy interesantes, como por ejemplo la parte antigua de la ciudad, conocida como el _____. Muy cerca de la capital está el Canal de Panamá, que conecta el Mar Caribe con el

_____. Entre el Mar Caribe y Colombia están las islas San Blas, donde viven los

indios _____, quienes mantienen muchas de sus costumbres ancestrales. En las

celebraciones de fiestas y bailes regionales, muchas mujeres llevan el traje típico panameño,

que se conoce con el nombre de _____.

Otro país centroamericano muy interesante es Costa Rica. Su capital es _____,

situada cerca del volcán _____, que tuvo su última erupción en 1965.

A los costarricenses, llamados también _____, les gustan mucho el baile y la

música. La guitarra y también la _____ son instrumentos importantes en la

música de Costa Rica.

Lección 13

Los hispanos en los Estados Unidos

A PRIMERA VISTA

13-1   Asociación. Match the descriptions with the words on the left.

1. idioma   _____   puesto que ocupa una persona en su lugar de trabajo

2. emigrante   _____   miembro de un equipo de béisbol

3. cargo   _____   personas que no son mayores

4. población   _____   lugar rural donde hay cultivos y animales

5. juventud   _____   lengua que se habla en un país

6. lanzador   _____   el trabajo de una o más personas

7. campo   _____   número de habitantes de un país

8. obra   _____   persona que se va a trabajar a otro país

13-2   Julia Álvarez. Write one complete sentence about each of the topics on the next page based in this article about the famous writer.

> Julia Álvarez es una escritora nacida en la República Dominicana y radicada en Estados Unidos desde su adolescencia. Su padre escapó de la persecución política de la dictadura en su país y vino con su familia a vivir en los Estados Unidos. Casi toda la obra literaria de Julia Álvarez, escrita en inglés, reflexiona sobre su experiencia de ser latina en la cultura americana. Sus primeros poemas recuerdan su niñez en la República Dominicana y hablan de un mundo en el que la familia, especialmente las mujeres —la abuela, las tías, las criadas— juega un papel muy importante. Su primera novela, *How the García Sisters Lost their Accents,* tiene un marcado carácter autobiográfico. En ella nos presenta los problemas de una familia que, como la suya, tuvo que abandonarlo todo para aprender a vivir en un mundo totalmente diferente al suyo. En otra de sus novelas, *In the Time of the Butterflies,* Álvarez relata la historia de tres mujeres que en su país lucharon contra la misma dictadura que obligó a su padre al exilio. Recientemente, Julia Álvarez formó parte de la delegación oficial de los Estados Unidos a la toma de posesión del nuevo presidente democrático de su país; es difícil imaginar la alegría que le causó celebrar la democracia en su país de origen.

1. Origen de Julia Álvarez: _____

2. Tema de su primera novela: _____

3. Las mujeres en su obra: _____

4. La dictadura dominicana: _____

13-3 Los hispanos en Estados Unidos. Read the following text carefully and answer the questions.

La población hispana en Estados Unidos ha aumentado de forma espectacular en los últimos años. Ya hay 33 millones de hispanos, es decir, el 12% de la población. Dentro de 10 años se espera que sean 42 millones, y el doble en el año 2050. Obviamente, los hispanos representan una fuerza económica importante: su capacidad de consumo supera los 350.000 dólares al año, y ya hay un millón y medio de empresas que son propiedad de hispanos.

Los hispanos se concentran principalmente en las áreas metropolitanas y en los estados del oeste y del sur. Su influencia no se limita a la economía sino que, cada vez más, los hispanos dejan oír su voz en la política. De hecho, el voto hispano puede ser determinante para los candidatos presidenciales.

Los hispanos van imponiendo poco a poco su cultura: actores, músicos, escritores reclaman su doble identidad de americanos que hablan español y bailan salsa. Incluso en algo tan esencialmente americano como el béisbol han conseguido imponerse los hispanos, que se cuentan entre los mejores jugadores del país.

1. ¿Cuántos hispanos va a haber en Estados Unidos en el año 2050?

   _____

2. ¿En qué partes de Estados Unidos viven los hispanos?

   _____

3. ¿En qué áreas tienen influencia los hispanos?

   _____

4. ¿Qué jugadores de béisbol hispanos conoce usted?

   _____

5. ¿Conoce usted a algún cantante o escritor hispano? ¿A quién?

   _____

13-4   El Ballet Folclórico de Texas. Read this article from the Hispanic magazine *Más* about a Mexican-American dance company and answer the questions.

DANZA

BALLET MEXICANO NACIDO EN TEXAS

El Ballet folclórico de Texas nació de una necesidad de su fundador, Roy Lozano: expresar sus raíces a través del arte. Su padre era beisbolista profesional y este niño de Corpus Christi viajaba con él a pueblos de México donde asistía a fiestas típicas con música folclórica y trajes tradicionales. Ya en la escuela secundaria, el joven Lozano se integró a un grupo de danza mexicana.

En 1976, cuando Lozano era estudiante en la Universidad de Texas en Austin, llegó a esta ciudad un representante del Ballet Folclórico de México para reclutar talento. Lozano se presentó a las audiciones y fue invitado a la Ciudad de México. A los dos meses se encontró recorriendo el mundo con la compañía. "La experiencia duró tres años y medio", cuenta, "y me permitió aprender las técnicas de una compañía profesional". Lozano regresó a Austin y fundó su propia compañía. Hoy, el Ballet Folclórico de Texas Roy Lozano cuenta con 24 miembros profesionales, una *troupe* de 20 jóvenes y una escuela de danza a la cual asisten 75 niños. "Buscamos dar expresión visual a nuestra historia y cultura", dice Lozano.

---

1. ¿Quién es Roy Lozano?

   _____

2. ¿Qué deporte practicaba su padre profesionalmente?

   _____

3. ¿Cómo aprendió Lozano la música folclórica mexicana?

   _____

4. ¿Cuándo empezó a bailar?

   _____

5. ¿En qué universidad estudió?

   _____

6. ¿Cuántos años bailó con el Ballet Folclórico de México?

   _____

7. ¿Qué aprendió en esa compañía?

   _____

8. ¿Qué fundó Lozano en Austin?

   _____

9. ¿Cuántas personas hay en su compañía?

   _____

10. ¿Cuál es su contribución a la comunidad?

    _____

EXPLICACIÓN Y EXPANSIÓN

Síntesis gramatical

1. The conditional

	HABLAR	COMER	VIVIR
yo	hablaría	comería	viviría
tú	hablarías	comerías	vivirías
Ud., él, ella	hablaría	comería	viviría
nosotros/as	hablaríamos	comeríamos	viviríamos
vosotros/as	hablaríais	comeríais	viviríais
Uds., ellos/as	hablarían	comerían	vivirían

2. The past participle and the present perfect

hablar	**hablado**
comer	**comido**
vivir	**vivido**

yo	he	
tú	has	
Ud., él, ella	ha	hablado
nosotros/as	hemos	comido
vosotros/as	habéis	vivido
Uds., ellos/as	han	

3. Past participles used as adjectives

un apartamento alquilad**o**	unos apartamentos alquilad**os**
una puerta cerrad**a**	unas puertas cerrad**as**

4. Reciprocal verbs and pronouns

nosotros/as nos comprendemos	*we understand each other*
vosotros/as os comprendéis	*you understand each other*
Uds. / ellos/as se comprenden	*you / they understand each other*

The conditional

13-5   ¿Qué pasaría? Choose the appropriate hypothetical action according to each situation.

1. Usted está solo/a en su casa, oye un ruido, y ve que alguien está tratando de abrir una ventana.   _____ Haría una reservación.

2. Mañana es el día del santo de su novio/a.   _____ Llamaría a la policía.

3. Usted quiere pasar el fin de semana en un pequeño hotel en las montañas.   _____ Iría a ver al médico.

4. Usted se siente mal, tiene fiebre y le duele todo el cuerpo.   _____ Lo llevaría al aeropuerto.

5. Su vecino tiene que tomar un avión mañana, pero no tiene automóvil.   _____ Le compraría un regalo.

6. Ud. necesita 80 dólares para arreglar su motocicleta, pero no los tiene.   _____ Le pediría dinero a un/a amigo/a.

13-6   ¿Qué haría usted? What would you do in the following situations?

MODELO: Usted ve un accidente automovilístico.
Llamaría a la policía.

1. Usted encuentra 100 dólares en el pasillo de la oficina.

_____

2. Usted tiene un problema con su novio/a.

_____

3. Usted no está de acuerdo con la nota de su examen.

_____

4. Usted quiere ir a un concierto de Christina Aguilera.

_____

5. Hay un fuego en su casa.

_____

13-7 Dime, quiero saber. Your friend wants to find out all about a birthday celebration at a restaurant last night. Answer the following questions using the conditional to express probability.

MODELO: ¿A qué hora abrieron el restaurante?
         Lo *abrirían a las siete.*

1. ¿Cuánto tiempo estuviste allí?

_____

2. ¿Quién hizo la reservación y cuándo la hizo?

_____

3. ¿Cuántas personas había?

_____

4. ¿Cuánto fue la cuenta?

_____

5. ¿Cuánto dejaron de propina (*tip*)?

_____

6. ¿A qué hora terminó la fiesta?

_____

The past participle and the present perfect

13-8 El mes de la herencia hispana. Your Spanish Club is celebrating National Hispanic Heritage Month on September 16, and you are in charge of coordinating the party. Ask these persons if they have carried out their responsibilities.

MODELO: tú/enviar las invitaciones
         ¿Ya has enviado las invitaciones?

1. los chicos/decorar el salón

_____

2. tú/traer los refrescos

_____

3. Elena/comprar los dulces

_____

4. Armando y Olivia/llamar al fotógrafo

_____

5. ustedes/seleccionar la música

_____

13-9   Los hispanos en el béisbol. Complete these sentences about the contributions of Hispanics to baseball. Use the present perfect of the verbs in the parentheses.

1. Los hispanos _____ (participar) en las Grandes Ligas por muchos años.

2. Varios hispanos _____ (tener) mucho éxito en el béisbol.

3. Sammy Sosa _____ (batear) más de 300 cuadrangulares (*homeruns*).

4. El cubano Orlando Hernández _____ (tener) unos problemas con el codo.

5. Roberto Alomar _____ (desear) siempre ser tan famoso como su padre y su

    hermano. Los tres _____ (ser) muy buenos jugadores de Grandes Ligas.

13-10   Mis vacaciones en Santa Fe. You are getting ready for a vacation in Santa Fe, New Mexico. Your friend Estela is reminding you about details for your trip. Tell her that you have just done these things.

MODELO: ¿Has hecho las maletas?
           Sí, acabo de hacer las maletas.

1. ¿Has leído sobre la historia de Santa Fe?

    _____

2. ¿Has hecho reservaciones en algún hotel?

    _____

3. ¿Has alquilado un coche?

    _____

4. ¿Has llamado para saber qué tiempo hace en Santa Fe?

    _____

5. ¿Le has pedido a tu hermano que recoja tu correspondencia?

    _____

13-11   Mi familia y yo. Answer the following personal questions about you and your family.

1. ¿Cuántas veces ha viajado tu familia en los últimos tres años?

_____

2. ¿Cuál es el último libro que has leído?

_____

3. ¿Has ido a algún concierto de un artista hispano con tu familia?

_____

4. ¿Qué programa de la televisión hispana has visto?

_____

5. ¿Han visitado tus padres la Pequeña Habana?

_____

6. ¿En cuántos estados norteamericanos donde hay hispanos has estado?

_____

Past participles used as adjectives

13-12   En busca de un apartamento. Complete the paragraph with the following words. Make any changes to the words that are necessary.

cortar	anunciar	alquilar	interesar
recoger	sentar	abrir	cerrar

Nosotros estamos buscando un apartamento y ayer fuimos a ver uno que estaba

(1)_____ en el periódico. Nos gustó mucho el edificio por fuera. La hierba del

pequeño jardín detrás del edificio estaba (2) _____ y las hojas

(3) _____. Fuimos al tercer piso y vimos que la puerta del apartamento estaba

(4) _____. Tocamos a la puerta y el agente de bienes raíces nos abrió. En la sala,

había unos señores (5)_____ en un pequeño sofá al lado de una ventana

(6) _____. Cuando yo le expliqué al agente que nosotros estábamos

(7) _____ en ver el apartamento, él nos dijo que lo sentía mucho, pero que ya

estaba (8) _____, y nos presentó a los señores que acababan de alquilarlo.

13-13   Después de la fiesta. Describe the condition of an apartment after a wild party. Use the imperfect tense of **estar** and the correct form of the following words: **abierto, roto, cerrado, cubierto, encendido** (*turned on*), **desordenado** in your description. Use each word only once.

MODELO: la puerta
           La puerta estaba abierta.

1. Las cortinas _____

2. El televisor _____

3. Los muebles _____

4. Las ventanas _____

5. Los vasos _____

6. El fregadero _____ de platos sucios.

13-14   Sí, ya está hecho. Your family has just rented a beach condo for two weeks. Before the trip, your mother asks some questions. Answer them and reassure her that everything is taken care of.

MODELO: ¿Informaste a los Suárez?
           Sí, mamá, los Suárez están informados.

1. Ana, ¿apagaste (*turned off*) el televisor de tu cuarto?

   _____

2. Luis, ¿le cambiaste el aceite al coche?

   _____

3. ¿Cerraron la puerta y todas las ventanas?

   _____

4. ¿Pusieron las maletas en el maletero?

   _____

5. Marcela, ¿hiciste la lista de teléfonos que vamos a necesitar?

   _____

Reciprocal verbs and pronouns

13-15   Relaciones personales. Describe how you and your friends relate to each other. Choose the verb from the list that best completes each statement.

quererse   odiarse   pelearse

llamarse   mirarse   verse

MODELO: Mi amigo Álvaro vive en Puerto Rico. Yo vivo en Nueva York.
           Nosotros nos escribimos mucho.

1. Carolina y Santiago hablan por teléfono todos los días. Ellos _____ con frecuencia.

2. Isabel mira a Paco. Paco la mira a ella. Ellos _____.

3. Tu novio/a y tú van a casarse. Ustedes _____ mucho.

4. Mi amiga Antonia se enamoró de mi novio y él se enamoró de ella. Él y yo

   _____ y ahora nosotras _____.

5. Adelina y Marcial estudian y trabajan juntos. Ellos _____ casi todos los días.

13-16   Historia de amor. You are thinking about your relationship with a loved one. Describe at least five things that happened between you. You may use verbs like: **conocerse, hablarse, besarse, pelearse, quererse/amarse, verse, comunicarse, abrazarse,** or any other verb of your choice.

MODELO: *José y yo nos conocimos en. . .*

1. _____

2. _____

3. _____

4. _____

5. _____

MOSAICOS

A leer

13-17   Nuestro mundo bilingüe. You are the manager at a Hispanic restaurant in San Antonio, Texas. Today, a big celebration honoring philanthropists who have contributed to the arts will be take place in your restaurant, and you are the person in charge. Give the owner of the restaurant a full account of the chores done before the guests arrive.

MODELO: las flores/arreglar
Las flores están arregladas en todas las mesas.

1. el salón de ceremonias / abrir

_____

2. los aperitivos / preparar

_____

3. la mesa principal / poner

_____

4. el salón / decorar

_____

5. los nombres de los invitados / escribir en las tarjetas

_____

6. los camareros / vestir elegantemente

_____

13-18 Un filántropo fuera de serie. Read this article about a Cuban philanthropist and do as indicated.

Filántropo cubano enamorado de las artes

El multimillonario cubano Alberto Vilar, amante declarado de las artes, se ha convertido en el filántropo hispano más conocido en el mundo artístico norteamericano y europeo. Economista de profesión y literato aficionado, Vilar ha donado la cifra astronómica de más de unos 300 millones de dolares a través de sus años de apasionado amor por el arte. Entre algunas de las instituciones que se han

---

beneficiado significativamente de la generosidad de Vilar se encuentran Carnegie Hall (3.6 millones donados para ser usados en restauración), la Universidad de Nueva York (20 millones, creación de una beca para que los alumnos internacionales estudien artes), la Universidad Washington y Jefferson (15 millones para el centro de tecnología Vilar, además de la creación de un fondo para que los alumnos con limitaciones económicas disfruten de la ópera, el ballet y la música clásica), el Centro de Artes Vilar en Beaver Creek, Colorado (10 millones), la Compañía Kirov de Opera y Ballet en San Petersburgo, Rusia (auspicio de nuevas producciones de *La guerra y la paz* y *Cascanueces* presentadas en Nueva York y Londres), etc.

A pesar de formar parte de una élite financiera internacional, Vilar —de 60 años— es reconocido por su gran sencillez y sensibilidad. Viajero incansable, especialmente si se trata de un espectáculo de primera calidad. Es así como cada dos o tres días, Vilar rompe el ritmo acelerado de su trabajo en Wall Street para viajar a Europa, en particular a París y Viena, y disfrutar de un concierto de música clásica o de una buena ópera.

Pero es su generosidad lo que lo ha convertido en una leyenda en vida. Los amigos del multimillonario hablan maravillas de su generosidad; tal es el caso del gran tenor español Plácido Domingo. Según éste, se llaman por teléfono dos o tres veces por semana para compartir las muchas cosas en común que ambos tienen. Las personas que lo conocen de cerca describen a Vilar como un hombre generoso y lleno de amor, atributos extremadamente raros. Según sus amigos, Alberto Vilar es único.

A. Identify which of the following are main ideas of this article by writing a check mark.

1. _____ Al multimillonario cubano Alberto Vilar le encanta la música folclórica rusa.

2. _____ La riqueza de Vilar ha beneficiado a varias instituciones artísticas.

3. _____ Vilar ha participado en varias producciones de ópera, entre otras *La guerra y la paz* y *Cascanueces*.

4. _____ Aunque tiene una profesión relacionada con números, Vilar disfruta del arte.

5. _____ La familia de Vilar opina que él es una persona única porque viaja mucho.

6. _____ Las personas que conocen al millonario piensan que una extraña combinación de amor y generosidad hacen de Alberto Vilar un individuo especial.

B. Indique. . .

1. por qué Vilar es una figura importante en el mundo de las artes:

_____

2. de qué manera la riqueza de Vilar ha beneficiado a tres instituciones artísticas:

_____

13-19 Usted es periodista. As a writer for your city's newspaper, you have been assigned a series of columns titled **Los hispanos en Estados Unidos.** For your first column, write a short profile of a Hispanic citizen of the United States. This person can be a public figure or a member of your community or university. Describe this person in terms of:

- his/her special personality traits/skills/virtues
- his/her personal accomplishments in detail. (**Qué ha hecho esta persona?**)
- Explain why he/she has become an important public figure/member of your community or university

A escribir

13-20 Una entrevista con Ellen Ochoa. Your Communications professor assigns you to interview a prominent Hispanic. Use the article below as the basis for the interview.

El secreto de una mujer exitosa

Ellen Ochoa mide 5 pies 5 pulgadas y pesa 108 libras, pero en lo que respecta a inteligencia y determinación, la imponente presencia de esta mexicoamericana, nacida en Los Ángeles, se hace sentir dondequiera que está. Entre algunos de sus logros académicos se cuentan su doctorado en ingeniería eléctrica y sus notables habilidades como flautista clásica. Hace unos años, Ellen se convirtió en la primera mujer hispana astronauta al orbitar la Tierra en la nave Discovery. Su misión fue dirigir un grupo de investigación de la NASA. Además, disfruta cada vez que se reúne con grupos de estudiantes, en particular hispanos. A estos sabe transmitirles el secreto de todo éxito: trabajar y estudiar muy duro.

MODELO: Usted: *¿Dónde nació usted?*
            Ochoa: *Nací en Los Ángeles.*

Usted: _____

Ochoa: _____

Usted: _____

Ochoa: _____

Usted: _____

Ochoa: _____

Usted: _____

Ochoa: _____

Usted: _____

Ochoa: _____

13-21   Una biografía. In your psychology class at the **Universidad de Río Piedras** in Puerto Rico, you have been asked to write the biography of someone you know very well who has somehow had influence on you. Write his/her biography in three paragraphs.

Párrafo 1: Dé información personal: nombre, lugar y fecha de nacimiento, profesión, lugar donde trabaja y razón por la cual es importante para usted.

Párrafo 2: Vida actual: qué hace él/ella actualmente

Párrafo 3: Los planes de esta persona a corto/largo plazo (*short/long term plans*)

ENFOQUE CULTURAL

13-22 **¿Cierto o falso?** Indicate if the following statements are true (**cierto**) or false (**falso**) by writing **C** or **F** in the spaces provided, according to the information given in the **Enfoque cultural** on pages 455–457.

1. _____ Hay más de 33 millones de hispanos en los Estados Unidos.

2. _____ Los hispanos se concentran solamente en dos áreas de los Estados Unidos: el suroeste y el noreste.

3. _____ El primer grupo de emigrantes cubanos que llegó a Estados Unidos al comienzo de la dictadura de Fidel Castro pertenecía en su mayoría a las clases media y alta.

4. _____ La mayor parte de los emigrantes cubanos se establecieron en el estado de Florida.

5. _____ Según muchos, el lugar de origen de los aztecas estaba situado en el suroeste de lo que es hoy territorio de los Estados Unidos.

6. _____ California, Arizona y otros estados del suroeste pasaron a ser territorio estadounidense después de la guerra entre México y los Estados Unidos.

7. _____ Los chicanos son personas de ascendencia cubana.

8. _____ Muchos hispanos emigran a los Estados Unidos por la situación política o económica de su país de origen.

9. _____ Los puertorriqueños son ciudadanos norteamericanos desde 1917.

10. _____ Cuando los puertorriqueños dicen "se formó el revolú", quieren decir que todo está muy tranquilo.

13-23 **¿Qué sabe usted de Puerto Rico?** Fill in the blanks with the correct information. If in doubt, read the section on Puerto Rico on pages 456–457 of the **Enfoque cultural.**

La capital de Puerto Rico es la ciudad de _____. La parte más antigua de esta

ciudad se conoce con el nombre de_____. Muchos de los

edificios de esta zona se construyeron en los siglos_____ y _____.

Uno de los lugares más interesantes y hermosos de Puerto Rico es el bosque tropical

_____, donde se pueden admirar distintas variedades de plantas tropicales y aves.

Lección 14

Nombre: _____

Fecha: _____

Cambios de la sociedad

A PRIMERA VISTA

14-1   Vocabulario. Match the expressions and words on the left with the appropriate word or expression on the right.

1. la edad   _____ Internet

2. vecino   _____ persona del sexo masculino

3. la red   _____ número de años

4. la fuerza laboral   _____ la casa

5. el hogar   _____ los trabajadores

6. varón   _____ persona que vive cerca

14-2   Asuntos sociales. For each social problem issue circle the word that does not belong.

1. La estadística
    a) los datos
    b) el promedio
    c) la mayoría
    d) la aduana

2. El divorcio
    a) la familia
    b) los problemas económicos
    c) la tensión
    d) la fuente

3. La política
    a) la paella
    b) las elecciones
    c) el gobierno
    d) el Presidente

4. El analfabetismo
    a) la escuela
    b) la eficiencia
    c) la educación
    d) los libros

5. El tráfico
    a) los coches
    b) la contaminación del aire
    c) el hogar
    d) el autobús

6. La salud
    a) los médicos
    b) el hospital
    c) el apellido
    d) los síntomas

14-3   Contra el sexismo en el lenguaje. The Institute of Women's Affairs (*Instituto de la Mujer*) in Spain has addressed the issue of sexism in the Spanish language. Read the resulting proposal and answer the questions.

Reflexiones sobre formas lingüísticas sexistas que se deben evitar y ejemplos de propuestas alternativas

A.   Sobre el masculino utilizado como genérico

A-1.   Tradicionalmente se han utilizado las palabras *hombre y hombres* con un sentido universal, ocultando o desdibujando la presencia, las aportaciones y el protagonismo de las mujeres.

Se propone la sustitucion de *hombre y hombres* en estos casos por *persona o personas, ser humano o seres humanos, humanidad, hombres y mujeres o mujeres y hombres,* sin dar preferencia en el orden al masculino o femenino.

NO	YES
El hombre	Los hombres y las mujeres La humanidad
Los derechos del hombre	Los derechos humanos Los derechos de las personas
El cuerpo del hombre	El cuerpo humano
La inteligencia del hombre	La inteligencia humana
El trabajo del hombre	El trabajo humano El trabajo de mujeres y hombres
El hombre de la calle	La gente de la calle
A la medida del hombre	A la medida humana/de la humanidad/del ser humano

---

Vocabulario nuevo

evitar *to avoid*
ocultar *to hide*
aportaciones *contributions*

1. ¿Cómo se han usado las palabras hombre y hombres tradicionalmente, según el Instituto de la Mujer?

_____

2. ¿Qué sustitución propone el Instituto?

_____

3. ¿Existe el mismo problema en inglés? ¿Cuál es la solución en inglés?

_____

4. ¿Qué adjetivo propone el Instituto para sustituir "del hombre" en la frase "la inteligencia del hombre"?

_____

5. ¿Cuál es el equivalente de "el hombre de la calle"?

_____

14-4   El papel de la mujer en mi familia. Write a paragraph contrasting the domestic responsibilities of an older married family member (grandmother, mother, aunt) with those of a younger one (sister, cousin).

_____

_____

_____

_____

_____

_____

_____

_____

_____

_____

_____

_____

_____

EXPLICACIÓN Y EXPANSIÓN

Síntesis gramatical

1. Adverbial conjunctions that always require the subjunctive

a menos que	para que
antes (de) que	sin que
con tal (de) que	

2. Adverbial conjunctions: subjunctive or indicative

aunque	hasta que
cuando	mientras
después (de) que	según
donde	tan pronto como
en cuanto	

3. The past perfect

yo	había	
tú	habías	
Ud., él, ella	había	hablado
nosotros/as	habíamos	comido
vosotros/as	habíais	vivido
Uds., ellos/as	habían	

4. Infinitive as subject of a sentence and as object of a preposition

Caminar es buen ejercicio.	*Walking is good exercise.*
Llama antes de **ir.**	*Call before going.*

Adverbial conjunctions that always require the subjunctive

14-5   Del campo a la ciudad. A person explains under what circumstances she will leave the country to live in the city. Underline the correct verb in each statement.

1. No voy a la ciudad a menos que (tengo/tenga) un buen trabajo.

2. Quiero ir a la ciudad para que mi hija (pueda/puede) estudiar.

3. Espero ir a la ciudad antes de que (es/sea) demasiado tarde.

4. Mis padres aceptan que vaya con tal que (venga/vengo) a visitarlos con frecuencia.

5. Mis amigos dicen que no puedo ir a la ciudad sin que les (digo/diga) cuándo me voy.

14-6   Amanda sueña con un auto. Amanda Bermúdez is daydreaming about the car she wants. She imagines her father giving her a car and explaining his reasons for doing so. Play the part of the father, beginning each sentence with **Te compro el carro** and giving the following reasons.

MODELO: llegar a tiempo a tus clases
Te compro el carro para que llegues a tiempo a tus clases.

1. poder buscar trabajo

   _____

2. no pedirme el mío

   _____

3. no perder tiempo esperando el autobús

   _____

4. llevar a tus amigos a la playa

   _____

5. traer la comida del mercado

   _____

14-7   Alicia habla seriamente con su novio. Alicia and Jorge plan to marry and are discussing their future roles and responsibilities. Complete the sentences using the appropriate forms of the verbs in the list.

| lavar | casarse | poder | sacar | hacer |

1. Antes que (nosotros)_____, tenemos que ponernos de acuerdo (*come to an agreement*) sobre las responsabilidades de cada uno.

2. Yo preparo el desayuno con tal que tú _____ las camas.

3. Yo no voy a cocinar, a menos que tú _____ los platos.

4. Yo estoy dispuesta a limpiar la casa los sábados para que tú _____ trabajar algunas horas extras.

5. Yo no limpio la barbacoa a menos que tú _____ el perro a pasear.

Adverbial conjunctions: subjunctive or indicative

14-8   La rutina diaria. Cristina talks about her daily activities as a working student. Fill in the blanks with the correct forms of the verbs in parentheses.

Me levanto a las seis aunque (1) _____ (preferir) dormir hasta las siete. Me baño

tan pronto (2)_____ (levantarse). Mientras (3) _____ (desayunar) me

gusta leer el periódico. En cuanto (4) _____ (llegar) a la oficina, me pongo a

trabajar. Allí hago mis tareas según me (5)_____ (decir) el jefe. Yo trabajo hasta

que la oficina (6)_____ (cerrar) a la una. Almuerzo algo muy ligero y salgo para

la universidad. Tan pronto como (7)_____ (llegar) a la universidad voy a la

biblioteca. Me gusta estudiar donde no (8)_____ (haber) ruido. Cuando las clases

(9)_____ (terminar), a veces voy a la cafetería a tomar un café con mis amigos.

Después de que nosotros (10)_____ (hablar) un rato (*a while*), nos gusta salir a

caminar.

14-9   Mis planes futuros. A young woman is talking about her future plans. Complete her statements with the appropriate forms of the verbs in parentheses.

Cuando empecé a estudiar aquí en la universidad, nunca pensé que iba a terminar, pero eso

ya es casi una realidad. El año próximo, cuando (1)_____(terminar) mis estudios

pienso practicar mi profesión en otro país, pero todavía no sé en cuál. Mis padres no

quieren que me vaya, pero vivimos en una ciudad pequeña donde no hay muchas

oportunidades para una persona con mi especialidad. Me voy a quedar aquí hasta que

(2)_____ (poder) ahorrar (*save*) bastante dinero para el viaje. Después de que

(3)_____ (recibir) la información acerca de las posibilidades de trabajo en otros

países decidiré adónde voy a ir y haré los preparativos necesarios. Mis padres dicen que hay

una posibilidad de que la fábrica de plásticos de nuestra ciudad me ofrezca un buen puesto y

ellos quieren que lo acepte cuando (4)_____ (llegar) ese momento si es que llega.

Aunque (5)_____ (existir) esa posibilidad no creo que cambie de parecer. Quiero

una oportunidad para avanzar y también quiero conocer otros lugares, otras culturas y otras

costumbres.

14-10   Condiciones para el matrimonio. Tell what kind of person you would marry. Use the conjunctions below and choose from the list of conditions on the right to write your statements. Start each sentence with **Me voy a casar.**

MODELO: Me voy a casar
cuando   una persona que respeta mis ideas
Me voy a casar cuando conozca (o encuentre) a una persona
que respete mis ideas.

Conjunctions	*Conditions*
cuando	una persona que es comprensiva (*understanding*)
aunque no	una persona que tiene un buen sentido del humor
después de que	alguien que sabe asumir responsabilidades
tan pronto como	una persona que es trabajadora
en cuanto	alguien que expresa sus sentimientos
	alguien que piensa como yo

1. _____

2. _____

3. _____

4. _____

5. _____

The past perfect

14-11   Demasiado tarde. Tell what had already happened when the following activities took place.

MODELO: Cuando llegó la Cruz Roja, ya . . . algunos de los heridos. (morir)
Cuando llegó la Cruz Roja, ya habían muerto algunos de los heridos.

1. Cuando llegué a la clase, el profesor ya _____ el examen. (distribuir)

2. Cuando Oprah presentó su programa sobre la inmigración centroamericana, Geraldo ya lo _____ . (presentar)

3. Cuando anunciaron el huracán en la Florida, ya _____ por Puerto Rico. (pasar)

4. Cuando dieron las noticias por radio, nosotros ya las _____ por la televisión. (ver)

5. Algunos quisieron hacer compras, pero las tiendas ya _____ . (cerrar)

6. No había nieve sobre el auto porque mis padres lo _____ antes de la tormenta. (cubrir)

14-12   Los preparativos. What had the following persons done to get ready for an approaching storm?

MODELO: La familia Sánchez/escuchar
La familia Sánchez había escuchado las noticias.

1. Ana / preparar

_____

2. yo / comprar

_____

3. nosotros / ir

_____

4. Francisco y Melisa / cerrar

_____

5. tú / ayudar

_____

6. Elisa y yo / recoger

_____

14-13   ¿Qué habían hecho ustedes? Last week your sociology instructor asked your class to do some research on women's roles in society during the last thirty years. Write what you and your classmates had done in order to get information before coming to class yesterday.

MODELO: Pedro / hacer entrevistas en varias oficinas
Pedro había hecho entrevistas en varias oficinas.

1. yo / buscar información en la Internet

_____

2. Alicia y Joaquín / leer varios artículos sobre mujeres ejecutivas

_____

3. Pedro / hablar con la directora de un banco

_____

4. Tú / consultar libros en la biblioteca

_____

5. Nosotros / encontrar datos muy interesantes en encuestas realizadas

_____

Infinitive as subject of a sentence and as object of a preposition

14-14   No poder. Your little sister wants to know why you are not able to do certain things. Explain why by matching the phrases on the left with words on the right. Then write sentences with the items you matched using the preposition **sin** and the verb **tener**.

MODELO: jugar golf   palos
           No puedo jugar golf sin tener palos.

1. manejar un auto   _____ pasaporte

2. escribir una carta   _____ bolígrafo

3. comer pollo frito   _____ sello

4. viajar a otro país   _____ licencia

5. mandar una tarjeta postal   _____ aire

6. respirar   _____ tenedor y cuchillo

1. _____

2. _____

3. _____

4. _____

5. _____

6. _____

14-15   Reglas a seguir (*Rules to follow*). What signs could you find in each one of these places? Use the infinitive form of the verb.

MODELO: en una puerta de salida
           No entrar.

1. en la biblioteca

2. en una playa donde el agua es profunda y las olas son muy altas
   _____

3. enfrente de la entrada de emergencia de un hospital
   _____

4. en el cine cuando todos están viendo la película
   _____

5. en una tienda donde se venden objetos de cristal
   _____

14-16   ¿Qué hiciste? You returned home after a business trip to several South American countries and your grandmother wants to know everything about it. Answer her questions in detail.

MODELO: ¿Qué hiciste al comprar el boleto?
Al comprar el boleto, pagué y le di las gracias al agente.

1. ¿Qué hiciste antes de hacer la maleta? ¿Y antes de salir de casa?

   _____

2. ¿Qué hiciste al llegar al aeropuerto? ¿Y al entrar al avión?

   _____

3. ¿Qué no pudiste hacer en el avión?

   _____

4. ¿Qué hacías después de llegar a los hoteles? ¿Y después de cenar?

   _____

MOSAICOS

A leer

14-17   Roles distintos. Write a statement that either attacks or defends the following actions.

1. Todos los miércoles las mujeres deben tener el derecho a entrar gratis a la discoteca.

   _____

2. Un hombre siempre debe abrirle la puerta a una mujer.

   _____

3. La mujer norteamericana debe cambiar de apellido cuando se casa.

   _____

4. En muchos países el servicio militar es obligatorio para los hombres y no para las mujeres.

   _____

14-18 Roles compartidos. Read this article that deals with roles shared by men and women, and then do as indicated.

ESPECIAL
VIDA EN PAREJA

Roles compartidos

Desde hace varias décadas, la mujer ha abandonado su papel tradicional de ama de casa, de madre, de esposa, para incursionar en áreas que por siglos han sido casi exclusivas del quehacer masculino: ir a la universidad, prepararse y entrar a competir en el campo profesional. Asimismo, los hombres también han demostrado una tendencia al cambio. Según algunos expertos en el campo de las relaciones de pareja, hoy en día, "los hombres se interesan cada vez más en que su matrimonio o relación de pareja funcione y se mantenga de por vida". En el aspecto sentimental, antes el hombre casi no se expresaba; generalmente optaba por guardarse sus sentimientos o preocupaciones y no compartirlos con su pareja. Sin embargo, en la actualidad, éste busca canales y modos para expresar sus sentimientos, frustraciones, alegrías, desesperanzas, etc. Por ser una experiencia relativamente desconocida para la mujer, ésta se desconcierta, se sorprende, se confunde cuando el hombre se expresa, cuando llora en un intento de exteriorizar sus emociones más íntimas.

De la misma manera, en lo que respecta a la vida de hogar, los hombres quieren participar activamente en más aspectos de la vida familiar como en la educación de los hijos y en los asuntos del hogar y la familia: la limpieza de la casa, la preparación de la comida, el cuidado de los hijos, el lavado de la ropa, etc.

Lo positivo de todo esto es que ahora, más que antes, el hombre ha entendido que sus contribuciones al hogar no son exclusivamente económicas. Y ha sido la mujer quien ha sido responsable, tal vez sin quererlo, de incentivar este cambio de roles.

A. Based on the content of the article, do as indicated.

1. Indique tres roles asignados tradicionalmente a la mujer hasta hace algunos años:

   _____

2. Señale algunos cambios en la actitud y comportamiento (*behavior*) del hombre que han afectado positivamente la vida familiar en las siguientes áreas:

   a. la vida doméstica: _____

   b. los hijos: _____

   c. la relación de pareja:_____

B. Complete las siguientes ideas según el contenido del artículo:

1. La mujer debe ir a la universidad para que ella

_____

2. El matrimonio se acabará, a menos que

_____

3. Las mujeres se sienten desconcertadas cuando los hombres

_____

4. Las mujeres pueden tener hijos y una vida profesional activa, con tal de que los maridos

_____

14-19   Conjeturas sobre el año 2050. In your view, how will women's and men's roles change by mid 21st century? Write a **pronóstico** for the year 2050. Think about some of the following issues:

1. Rol de ambos en el hogar: _Will they continue to share responsibilities? Will there be a reversal in parents' roles? Will men and women both receive time off to care for children? If not, when will they? Will they receive pay? If not, when?_

2. Acceso de la mujer al poder: _Will a woman become president of the United States? Why? If not, by when will a woman become president? What changes will need to occur?_

3. Igualdad en el trabajo: _Will an equal number of men and women hold positions as top executives? If not, by when will this be a reality?_

_____

_____

_____

_____

_____

_____

_____

_____

_____

_____

A escribir

14-20 **Preparación.** You are doing research on the social, economic, and health effects of the consumption of tobacco on the population of developing countries. Read this article and do as indicated.

LUZ ROJA: Fumar causa un gran número de muertes en países pobres

Según los expertos, más de la mitad de las muertes en los países pobres es el resultado del consumo de tabaco, lo cual resulta preocupante.

Las estadísticas indican que en las naciones desarrolladas se consumen más cigarrillos que en aquellas en vías de desarrollo. Sin embargo, el gran aumento de fumadores en las naciones del Tercer Mundo preocupa tanto a los gobiernos locales como a los centros de estudio sobre enfermedades adquiridas por el consumo de tabaco. Más inquietante aún es que sean los jóvenes y las mujeres los blancos de las campañas de las compañías tabacaleras.

Se sabe que en algunos países hispanohablantes como Honduras, hasta hace algunos años el tabaco causaba entre el 58 y el 60 por ciento de los casos de cáncer, provocando cientos de muertes anualmente. Lo más trágico de la situación es que los pronósticos no son muy alentadores. Se piensa que entre los años 2000-2010 los índices de consumo aumentarán. Los efectos de este incremento en el consumo de cigarrillos son fáciles de predecir: muertes prematuras causadas por enfermedades cardiovasculares o pulmonares. Asimismo, es razonable pensar que se elevarán los casos de pacientes con cáncer de labios, lengua, esófago, laringe, pulmones, riñones, páncreas, ovarios y de otros órganos.

Los expertos también advierten que el riesgo de cáncer no sólo lo corren los fumadores sino también los fumadores pasivos, es decir, aquellos individuos que inhalan el aire expulsado por los fumadores a su alrededor, ya que por lo menos 23 sustancias contenidas en el humo de los cigarrillos causan cáncer.

14-21 **El fumar te puede matar.** Your best friend is a chain smoker. Write him/her a letter using the information from the previous article to explain the dangers of using tobacco. Try to persuade him/her to quit smoking.

_____
_____
_____
_____
_____
_____
_____
_____
_____
_____

ENFOQUE CULTURAL

14-22   Indicate if the following statements are true (**cierto**) or false (**falso**) by writing **C** or **F** in the spaces provided, according to the information given in the **Enfoque cultural** on pages 484–485.

1. _____ Después de su independencia en el siglo XIX, los países hispanoamericanos pasaron por un período de paz y tranquilidad.

2. _____ En los últimos años se ha restablecido la democracia en casi todos los países hispanoamericanos.

3. _____ La desigualdad social y los problemas económicos se encuentran entre las causas de la existencia de las guerrillas.

4. _____ Las guerrillas y el narcotráfico son problemas que afectan a algunos países hispanoamericanos.

5. _____ El rey Juan Carlos ascendió al trono español después de la muerte de Franco.

6. _____ Franco murió en 1990.

7. _____ La transición política en España después de la muerte de Franco fue muy violenta.

8. _____ Los estatutos de autonomía garantizan el comercio entre España y los países hispanoamericanos.

9. _____ El grupo terrorista ETA quiere la independencia para la región de Andalucía.

10. _____ El País Vasco está situado al sur de España.

For the statements that are false, write a corrected statement in the space provided.

_____

_____

_____

_____

_____

_____

_____

Lección 15

La ciencia y la tecnología

A PRIMERA VISTA

15-1   Asociaciones. In what class would the items on the right most likely be discussed?

_____ 1.   informática   a.   ser humano

_____ 2.   astronomía   b.   computadora

_____ 3.   geografía   c.   deforestación

_____ 4.   biología   d.   planeta

_____ 5.   ccología   e.   el río Amazonas

15-2   El mundo de hoy. Living in a fast-paced world has many advantages and disadvantages. Give your opinion on the subject by answering these questions.

1. En su familia, ¿hay alguien que tenga un buscapersonas (*beeper*)? ¿Por qué?

   _____

2. ¿Tiene usted un teléfono celular? ¿Cuál es la ventaja de tenerlo?

   _____

3. ¿Qué se puede hacer para evitar la extinción de algunas especies de animales?

   _____

4. ¿Qué problemas presenta la deforestación?

   _____

5. ¿Qué puede hacer usted para ayudar a eliminar la contaminación del aire y del agua?

   _____

6. ¿Se debe gastar más dinero en la exploración del espacio? ¿Por qué?

   _____

15-3 El mundo del mañana. Choose the best word from the list to complete each sentence. There are more words than needed.

ciudades basuras agujero de ozono energía eléctrica y solar

Internet satélite contaminación robots

1. Dentro de unos años, los coches funcionarán con _____.

2. Todos los hogares estarán conectados a la _____.

3. La _____ de los mares provocará la extinción de los peces.

4. Compañías públicas y privadas reciclarán las _____ urbanas.

5. El tráfico aéreo será controlado por _____.

6. Las personas no tendrán que preocuparse por la limpieza porque ese trabajo lo harán los

_____.

15-4 Temas controvertidos. Think of two consequences that the following issues will have on the human race and their life in general:

1. La ingeniería genética:

_____

2. La tercera guerra mundial:

_____

3. El uso generalizado/absoluto de la tecnología:

_____

4. La clonación:

_____

EXPLICACIÓN Y EXPANSIÓN

Síntesis gramatical

1. The imperfect subjunctive

	HABLAR	COMER	VIVIR	ESTAR
yo	hablara	comiera	viviera	estuviera
tú	hablaras	comieras	vivieras	estuvieras
Ud., él, ella	hablara	comiera	viviera	estuviera
nosotros/as	habláramos	comiéramos	viviéramos	estuviéramos
vosotros/as	hablarais	comierais	vivierais	estuvierais
Uds., ellos/as	hablaran	comieran	vivieran	estuvieran

2. *If*-clauses

condition (*if*-clause)	result
present indicative	present/ir a + *infinitive* /future
Si yo consigo el dinero,	*pago/voy a pagar/pagaré la cuenta.*
imperfect subjunctive	conditional
Si yo consiguiera el dinero,	*pagaría la cuenta.*

3. *Se* for unplanned occurrences

SE + *INDIRECT OBJECT PRONOUN* + *VERB*

Se nos terminó la gasolina.	*We ran out of gas.*
Se nos terminaron los refrescos.	*We ran out of sodas.*

The imperfect subjunctive

15-5 Un agente de viajes. Read the story and fill in the blanks with the appropriate verbs from the list.

> sentar   ir   pasar   visitar   pagar   cambiar   cancelar

El año pasado llamé a una agencia de viajes para planear una excursión a Chile. Después de hablar con el agente fui a la agencia a recoger mi boleto. Pero cuando revisé el itinerario me di cuenta de algunos cambios. Había pedido un asiento de ventanilla pero el agente me recomendó que me (1) _____ en un asiento de pasillo en las últimas filas (*rows*) del avión porque había menos pasajeros y me asignó un asiento allí. Pedí que me (2)_____ de asiento y lo hizo con muy pocas ganas. Después noté que el agente quería que (3) _____ a Iquique. Yo le dije que quería ir a Temuco. Entonces me sugirió que (4) _____ unos días en Puerto Varas. También me recomendó que (5)_____ Viña del Mar. Cuando me dijo el precio del pasaje y me pidió que (6)_____ en efectivo me pareció sospechoso. En ese momento le dije que (7)_____ la reservación y decidí ir a otra agencia de viajes.

15-6 Imaginación. Complete the following sentences by saying how these people act or what you think they wanted someone else to do.

MODELO: Cuando yo tenía cinco años mamá siempre quería que. . .
              (yo) terminara toda la comida que me había servido.

1. El jefe trata a sus empleados como si

_____

2. El año pasado tus abuelos querían que tú

_____

3. El vecino prohibió que los niños

_____

4. La NASA quería que los ingenieros

_____

5. El científico hablaba del medio ambiente como si

_____

6. Los arquitectos e ingenieros diseñan las futuras ciudades como si

_____

15-7 Reacciones personales. Use the expressions in the list to express your wishes or your reactions to your friends' experiences in Spain.

me alegré (de)   quise   dije   no creí

pedí   prohibí   me gustó   sentí

MODELO: El mes pasado Patricia fue a Ibiza en barco.
           Me gustó que Patricia fuera a Ibiza en barco.

1. Nadie quiso hacer *windsurfing* en Torremolinos.

   _____

2. Diego estuvo dos semanas en un hotel de lujo.

   _____

3. Los García conocieron a muchas personas en Sevilla.

   _____

4. Pilar perdió su billetera en Barcelona.

   _____

5. Ramiro y José nadaron y tomaron el sol en Santander.

   _____

6. Elena y sus amigas comieron unos mariscos deliciosos en Bilbao.

   _____

If-clauses

15-8   Si yo fuera. . . If you were these people, what would you do?

1. una actriz famosa   _____ eliminaría los impuestos (*taxes*)

2. el Presidente   _____ me casaría otra vez

3. profesor/a   _____ buscaría ayuda

4. un joven con problemas   _____ viajaría por el espacio

5. astronauta   _____ viviría en Hollywood

6. viudo/a   _____ no daría exámenes difíciles

15-9   Si nosotros. . . Complete the sentences expressing what you and your best friend would do in the following circumstances.

1. Si viviéramos en una ciudad del futuro,

_____

2. Si visitáramos México,

_____

3. Si practicáramos español todos los días,

_____

4. Si hiciéramos más ejercicio,

_____

5. Si comiéramos alimentos más sanos,

_____

15-10   El premio gordo. If you were to win the lottery, how would you spend the money? Make a list of things you would like to do with five million dollars in the following areas.

MODELO: *Si yo ganara la lotería, ayudaría a los desamparados* (homeless).

La familia

1. _____

2. _____

Diversiones y entretenimientos

3. _____

4. _____

Para progresar intelectualmente

5. _____

6. _____

Se for unplanned occurrences

15-11   ¡Qué mala suerte! Several things happened to you and your roommate before you got to school yesterday. Organize the events in chronological order by writing the appropriate number (1, 2, 3, etc.) next to each statement.

_____ Se nos perdieron las llaves, pero no nos dimos cuenta hasta el momento de salir de la casa.

_____ Quisimos entrar en la casa de nuevo, pero se nos cerró la puerta.

_____ Ayer estuvimos de mala suerte.

_____ Íbamos a tomar un autobús a la universidad, pero se nos acabó el dinero.

_____ Nos salió mal todo lo que hicimos.

_____ Al fin un amigo nos llevó en su auto y al llegar a la clase de español se nos cayeron los libros.

15-12 **Problemas, problemas.** Complete the following statements logically.

MODELO: Ayer se me perdió *el libro de francés*.

1. Esta mañana se nos acabó _____

2. Hoy en la clase se me olvidaron _____

3. Ayer en el aeropuerto a Faustino se le olvidó _____

4. Anoche a Estela y a Sonia se les cayeron _____

5. Esta mañana cuando Graciela salió de la casa se le olvidó _____

15-13 **Un día de perros (*An awful day*).** Write a list of the terrible things that happened to your friend Anita yesterday during her mathematics exam; use the information provided.

MODELO: descomponerse la calculadora
         Se le descompuso la calculadora.

  caerse el lápiz cinco veces

  olvidarse las fórmulas importantes

  quedarse la mente en blanco

  perderse el bolígrafo

  acabarse el papel

1. _____

2. _____

3. _____

4. _____

5. _____

15-14   **¿Qué pasó?** Use **se** for unplanned or accidental events to tell what caused the following situations.

MODELO: Juan no puede leer el periódico.
          Se le rompieron las gafas.

1. Tú no puedes ir al concierto esta noche.

_____

2. María tuvo que lavar los platos en el restaurante.

_____

3. Ustedes no pueden entrar en su casa.

_____

4. Hoy dejé mi auto en el taller (*shop*).

_____

5. Hortensia se levantó tarde.

_____

MOSAICOS

A leer

15-15   **Ayer, hoy y mañana.** How has our world changed, and how will it change in the future? Complete the following chart that compares **ayer, hoy y mañana** in relation to technological advances. Be creative when assessing the future.

Ayer	*Hoy*	*Mañana*
_____	microondas	_____
_____	_____	monorriel
papel y bolígrafo	_____	_____
_____	correo electrónico	_____
_____	_____	habitantes en Marte (*Mars*)
_____	teléfonos	_____

15-16 **Un parque tecnológico.** Economic development and job creation are high-priority goals in Spain and Latin America. Read this ad that promotes a technological park in Málaga, Spain, and do as indicated.

Málaga.

Lugar ideal para un Parque Tecnológico

Málaga, localizada en la Costa Sur de España, en la histórica región de Andalucía, zona de hermosas playas, se asocia con una topografía incomparable y un clima mediterráneo paradisíaco. El visitante puede gozar de temperaturas agradabilísimas (promedio anual de 18,2° C) y un sol radiante como en pocos lugares del mundo. Por ser una ciudad con un clima y topografía privilegiados, cuenta con una infraestructura turística que le ofrece al visitante una gran variedad de actividades deportivas y en general, de ocio.

Entre los grandes atractivos de Málaga está también su población joven: de los aproximadamente 1,2 millones de habitantes, más de la mitad son jóvenes que residen en la capital, lo cual convierte a Málaga en una ciudad de mucha energía rodeada de mar.

Málaga vive desde hace algunos años un fuerte proceso de desarrollo. Se han realizado importantes inversiones en comunicaciones (carreteras, ferrocarriles, aeropuerto, telecomunicaciones, etc.). De la misma manera, Málaga posee una industria que progresa a pasos agigantados, la cual la ubica entre las provincias españolas con mayor índice de crecimiento económico.

Aparte de su infraestructura turística, la ciudad se ha preocupado de otorgarles a sus hijos una joven y dinámica universidad que supera los 23.000 alumnos, con 20 Facultades y Centros de Enseñanza Superior, entre los que destacan los dedicados a las tecnologías de la información y la producción.

Distribución sectorial de la economía en Málaga

SERVICIOS	INDUSTRIA	AGRICULTURA
69%	24%	7%

Indicate any positive features of Málaga for the following kinds of people:

1. Para personas que disfrutan de actividades al aire libre:

   _____

2. Para las personas mayores pero jóvenes de corazón:

   _____

3. Para padres profesionales con hijos en edad de comenzar sus estudios universitarios:

   _____

4. Para una persona con educación limitada:

   _____

5. Para personas que detestan el frío:

   _____

15-17   Ud. quiere ser alcalde. Imagine you are running for mayor of the capital city of your home state. Make a list of your top three investment priorities in the areas of *tecnología y ciencias*, then write a brief speech outlining a specific program you have planned to bring your city into the 21st century. In your speech, include what you want/expect the citizens to do to help you achieve your goals.

Prioridades:

1. _____

2. _____

3. _____

Respetables ciudadanos:

_____

_____

_____

_____

_____

_____

_____

_____

_____

_____

_____

_____

_____

Nombre: _____ Fecha: _____

A escribir

15-18 **Preparación. Las redes computarizadas.** This is the information age. Read this article about the possibility of being "attacked" by cyberspace terrorism and do as indicated.

Inminente amenaza de terrorismo cibernético

No hay duda de que la vida en nuestro planeta ha mejorado considerablemente con los avances tecnológicos de los últimos años. Indiscutiblemente, las tareas y rutinas diarias resultan más fáciles, los medios de transporte por tierra, aire y mar son más rápidos y seguros, las comunicaciones y el correo electrónico nos ofrecen gran cantidad de información en nuestra propia casa, y los avances en el cuidado de la salud han prolongado la vida y la actividad de los seres humanos de una manera extraordinaria.

De esta manera el ser humano depende cada vez más de la tecnología y, en particular, de la informática. Esta realidad indiscutible se aplica con mayor fuerza a las naciones más industrializadas del mundo, donde tanto las ventajas como las desventajas de la tecnología se ven a diario. Estas últimas preocupan enormemente a las autoridades de las grandes potencias, quienes temen desastres de consecuencias impredecibles. ¿Podría usted imaginar los efectos de un ataque a la estructura cibernética de su país? ¿Qué ocurriría si un genio de la informática infiltrara las redes de comunicación de su país y las paralizara? ¿Estaría el gobierno de su país preparado para enfrentar el terrorismo cibernético? Ataques de este tipo no sólo afectarían la infraestructura de las comunicaciones sino también la seguridad del país. Esta preocupación ha motivado a los Estados Unidos a crear comisiones de expertos para que estudien estos problemas y propongan recomendaciones que ayuden a prevenir y, en el peor de los casos, a hacerles frente a ataques terroristas realizados a través de la cibernética.

Los avances tecnológicos sin duda han cambiado el rostro de la guerra y la estrategias que usaremos para enfrentarla; según los expertos, el terrorismo cibernético es un peligro cada día más real e inmediato para Estados Unidos.

Algunos centros de investigación han descrito el resultado de ataques potenciales sobre estructuras privadas o públicas: se paralizarían los centros de llamadas de urgencia, se utilizarían los canales de televisión para amenazar, se modificarían las trayectorias de los trenes y aviones para provocar choques, se falsificarían cuentas bancarias y se producirían gigantescas fallas en el sistema eléctrico.

Los expertos afirman con bastante seguridad que la próxima guerra no se hará con balas, sino con la información. Lo peor es que la guerra cibernética está al alcance de todos. Los guerreros del espacio cibernético son anónimos y sólo requieren un teléfono celular, un módem y un microordenador.

De esto ya existen antecedentes: hace algunos años, la bolsa de Nueva York recibió una advertencia de un pirata cibernético alemán, quien les aseguró a los encargados de seguridad de Wall Street que ya había logrado controlar los sistemas informatizados de la climatización en las salas donde están los superordenadores.

El terrorismo cibernético. After reading the previous article, you —a common citizen— feel extremely concerned about the effects that a cyber attack would have on your country, and particularly on your local community and family. Write a letter to the editorial of your local newspaper explaining the following concerns:

• The risks that the common citizen would face at work, home, school, on the streets/highways, etc.

• The problems that services institutions would encounter (hospital, police, stores, etc.)

• Some realistic recommendations to the local and federal government to prevent a disaster like the one described in the article.

_____

_____

_____

_____

_____

_____

_____

_____

_____

_____

_____

ENFOQUE CULTURAL

15-19   Indicate if the following statements are true (**cierto**) or false (**falso**) by writing **C** or **F** in the spaces provided, according to the information given in the **Enfoque cultural** on pages 510–512.

1. _____ El desarrollo económico es similar en todos los países hispanos.

2. _____ En general, en todos los países hispanos hay avances industriales y tecnológicos.

3. _____ Existen acuerdos entre los países hispanos para poder mejorar el comercio entre ellos.

4. _____ Chile y Ecuador son miembros de la Asociación de Estados Caribeños.

5. _____ La base de la economía de los países hispanos ha sido hasta ahora la minería y la agricultura.

6. _____ El vino y el aceite de oliva son dos productos importantes de la economía española.

7. _____ Ecuador es el país que produce más harina de pescado en el mundo.

8. _____ El país que produce más aluminio en el mundo es Colombia.

9. _____ La industria ganadera es muy importante en Bolivia.

10. _____ La industria electrónica está avanzando en los países hispanos.

For the statements that are false, write a corrected statement in the space provided.

_____

_____

_____

_____

_____

_____

15-20 **Los países hispanos.** Answer the following questions on economy and industry of the Hispanic countries. If in doubt, read the section on these countries on pages 510–512 of the **Enfoque cultural.**

1. ¿ En qué país hispanoamericano el turismo es una importante industria que está muy desarrollada?

   _____

2. ¿Qué país es el primer productor de acero en la América del Sur?

   _____

3. ¿Cuáles son los principales productos de exportación de la América Central?

   _____

4. ¿Cuál es el producto principal de la economía de Venezuela?

   _____

5. ¿Cuáles son los tres países de la América del Sur que han desarrollado más la industria pesquera?

   _____

Expansión gramatical

Síntesis gramatical

1. The present perfect subjunctive

yo	haya	
tú	hayas	
Ud, él/ella	haya	hablado
nosotros/as	hayamos	comido
vosotros/as	hayáis	vivido
Uds., ellos/as	hayan	

2. The conditional perfect

yo	habría	
tú	habrías	
Ud., él, ella	habría	hablado
nosotros/as	habríamos	comido
vosotros/as	habríais	vivido
Uds., ellos/as	habrían	

3. The pluperfect subjunctive

yo	hubiera	
tú	hubieras	
Ud., él, ella	hubiera	hablado
nosotros/as	hubiéramos	comido
vosotros/as	hubierais	vivido
Uds., ellos/as	hubieran	

4. If-clauses

condition (if-clause)	result
pluperfect subjunctive	conditional perfect
Si yo hubiera conseguido el dinero,	habría pagado la cuenta.

5. The passive voice

SER + PAST PARTICIPLE

La planta nuclear fue construida en 1990.	*The nuclear plant was built in 1990.*
El gimnasio fue construido en 1990.	*The gym was built in 1990.*
El edificio fue destruido por el fuego.	*The building was destroyed by the fire.*
Los árboles fueron destruidos por el fuego.	*The trees were destroyed by the fire.*

The present perfect subjunctive

EG-1   Identificación. Choose the present perfect subjunctive choice that best completes the meaning of the following sentences.

1. Espero que (hayan conseguido/hayan amenazado) más información sobre la deforestación en la cuenca del Amazonas.

2. Ojalá que los expertos (hayan apagado/hayan venido) el fuego.

3. No creo que (haya dañado/haya sido) un problema serio.

4. Es posible que el grupo ecológico (haya roto/haya visitado) ese lugar.

5. Dudo que ellos (hayan visto/hayan dicho) la protesta contra las compañías petroleras.

EG-2   **Reacciones.** React to your friend's statements using the phrases in the list.

Es bueno que...	Es una lástima que...	Siento que...
Me alegro que...	Es posible que...	Dudo que...

MODELO: He comido 20 hamburguesas.
Dudo que hayas comido 20 hamburguesas.

1. Jacinto y Nicolás han construido una casa que usa energía solar.

   _____

   _____

2. Berta ha diseñado la ciudad del futuro.

   _____

   _____

3. Los científicos no han encontrado vida en el planeta Plutón.

   _____

   _____

4. El tornado ha roto todas las ventanas del laboratorio de experimentación.

   _____

   _____

5. Enrique y yo hemos manejado por todas las ciudades que tienen plantas nucleares en los Estados Unidos.

   _____

   _____

6. Agustín ha tenido un accidente automovilístico en la carretera interestatal.

   _____

   _____

EG-3   Una visita a la ciudad de México. How would you tell your friend, who has just arrived from Mexico City, that you hope he has done the following things?

MODELO: visitar las pirámides de Teotihuacan
Espero que hayas visitado las pirámides de Teotihuacán.

1. ir a una corrida de toros

_____

2. probar comida típica mexicana

_____

3. ver los murales de Rivera, Orozco y Siqueiros

_____

4. caminar por el Bosque de Chapultepec

_____

5. oír a los mariachis

_____

The conditional perfect and the pluperfect subjunctive

EG-4   Asociaciones. What do you think people would have done had they been in the following situations?

1. Si hubieran visto un fuego en un edificio...   _____ se habrían acostado.

2. Si se les hubiera roto el auto...   _____ habrían llamado a los bomberos.

3. Si hubieran necesitado información para un proyecto...   _____ habrían ido a una tienda.

4. Si hubieran tenido fiebre y les hubiera dolido la cabeza..._____ la habrían buscado en la Internet.

5. Si hubieran querido comprar unos suéteres...   _____ habrían llamado a un mecánico.

EG –5   Last year, there were serious problems of violence and lack of security in your city. However, authorities did not do enough to solve them. Write four sentences saying what you would have done to solve them.

1. _____

2. _____

3. _____

4. _____

EG-6   **Ojalá que...** Respond affirmative or negatively to the following situations using Ojalá que...

MODELO: Manolo y yo vimos una nave espacial y nuestra vida cambió drásticamente.
Ojalá que no hubiéramos visto una nave espacial.

1. Los jóvenes bebieron mucha cerveza y tuvieron un accidente.

   _____

2. Lucía no estudió para los exámenes finales y sacó malas notas.

   _____

3. Juan usó drogas el año pasado y tuvo muchos problemas con la policía.

   _____

4. Tú comiste carne contaminada y te enfermaste gravemente.

   _____

5. Yo no jugué a la lotería, pero mis tíos jugaron y ganaron mucho dinero.

   _____

EG-7   Una fiesta desastrosa. Alicia had a party at her house and everything went wrong. Use the verbs **desear**, **querer**, and **esperar** to say what she wanted or hoped would have (not) happened that evening.

MODELO: sus amigos llegar temprano
            Ella esperaba que sus amigos hubieran llegado temprano.

1. su hermanito / estar en su cuarto todo el tiempo

   _____

2. sus amigos / hacer mucho ruido

   _____

3. su novio / bailar con otra chica

   _____

4. su mejor amiga / caerse en el patio

   _____

5. su amigo Patricio / traer invitados a la fiesta

   _____

If clauses

EG -8   En México. When your friends visited Mexico, they didn't have enough time to see all they wanted. Write sentences telling what they would have done if they had had more time based on the following information.

MODELO: tener tiempo / visitar Guadalajara
Si hubieran tenido tiempo, habrían visitado Guadalajara.

1. conocer a familias mexicanas / hablar en español

_____

2. tener dinero / estar en un hotel elegante

_____

3. leer sobre las culturas precolombinas / disfrutar más del viaje

_____

4. ir a Yucatán / visitar las ruinas de Chichén-Itzá

_____

5. comprar boletos / ver corrida de toros

_____

EG-9   Posibilidades. Complete the following sentences.

1. Si yo hubiera estudiado más _____

2. Si mis padres hubieran vivido en Perú _____

3. Si yo hubiera conocido a Einstein _____

4. Si yo hubiera vivido en el siglo XV _____

5. Si mi perro hubiera viajado en el transbordador espacial _____

The passive voice

EG- 10   Titulares. You must write the headlines for some of the articles in a newspaper. Rewrite the following news flashes using the passive voice.

MODELO: Los rebeldes tomaron la capital.
           La capital fue tomada por los rebeldes.

1. El huracán destruyó el parque.

    _____

2. La policía encontró a los asesinos.

    _____

3. La Cruz Roja ayudó a los vecinos.

    _____

4. El agua inundó las calles.

    _____

5. Un perro de la policía descubrió la droga.

    _____

EG-11   Un reportaje. Today's headlines talk about one of the largest drug busts in your city. Your friend wants to know everything about it. Answer his/her questions using the passive voice and the information in parentheses.

MODELO: ¿Quién capturó al narcotraficante? (perro policía)
           El narcotraficante fue capturado por el perro policía.

1. ¿Cuándo mandaron los paquetes? (ayer)

    _____

2. ¿Quién alquiló la habitación? (el Sr. Sirvén)

    _____

3. ¿Quién le abrió la puerta a la policía? (el botones)

    _____

4. ¿Cuándo revisaron las maletas? (al llegar al hotel)

    _____

5. ¿Quién recogió las drogas? (la policía)

    _____

Notas

Notas